RICHTHOFEN

Roger Franchini

RICHTHOFEN

O assassinato dos pais de Suzane

1ª reimpressão

Planeta

Copyright © Roger Franchini, 2011

Preparação: Norma Marinheiro
Revisão: Tulio Kawata
Imagem de capa: Apu Gomes/Folhapress
Diagramação: Equipe Planeta do Brasil

CIP-BRASIL. CATALOGAÇÃO-NA-FONTE
SINDICATO NACIONAL DOS EDITORES DE LIVROS, RJ

F89r

Franchini, Roger
  Richthofen : o assassinato dos pais de Suzane / Roger Franchini. - São Paulo : Planeta, 2011.
  21 cm

  ISBN 978-85-7665-744-6

  1. Richthofen, Suzane Von. 2. Richthofen (Família). 3. Homícidio. 4. Crime. I. Título.

11-6035.   CDD: 364.1524
                                 CDU: 343.301

2012
Todos os direitos desta edição reservados à
Editora Planeta do Brasil
Avenida Francisco Matarazzo, 1500 – 3º andar – conj. 32B
Edifício New York – 05001-100 – São Paulo-SP
vendas@editoraplaneta.com.br
www.editoraplaneta.com.br

A Arte não é a verdade. A Arte é uma mentira que nos ensina a compreender a verdade.

Pablo Picasso

AGRADECIMENTOS

Aos queridos amigos da Editora Planeta que, além do amor pela literatura, possuem o dom da paciência com o escritor.

A Olivia, pelo carinho e o dicionário analógico.

A meu pai, que está na Glória se divertindo com as histórias do filho. A minha mãe. A minha querida irmã, Roberta, e à princesa Letícia.

Ao professor Élcio Trujillo, a Carmen Maia, Marcos Pimenta, Suzana Amaral, Gilberto Peixoto, Wassila, Anamaria Vicente, Marília Nucci, Roberta Massa, Sabrina Braile, Thomas Castro, Renato de Melo Filho, Beto Bellini, Américo de Souza, Denise Gallo, Otávio Bortolin, Rodrigo C. Barbosa, Diego Vásques, Amanda Gattás, Andrei Renato, Virgínia, Camila Tomé, Vinicius Peres, Jaqueline Frutuoso, Michele e Maurício, Gabi e Társis, Marcos Donizette, Tati Vasconcelos, Biajoni, Alex Castro, Juliana D'Alcantara, Tuca Hernandes, Edney Souza, Remero, Tiago Casagrande, Maína Machado, Albano Martins Ribeiro, Eduardo da Silva, Ana Bernal, Flávio Hiasa e GGG, amigos de tantos anos, sofrimentos e alegrias.

A Marçal Aquino, sempre generoso na genialidade, e Evandro Affonso Ferreira, parceiro de escritório que me mostrou o abismo do homem.

ADVERTÊNCIA

Trata-se de um livro de ficção baseado em fatos reais. Qualquer semelhança é mera coincidência.

A PIADA DE ANDREAS

4. *Sobre a sensibilidade afetiva.*[*]
1. *A ausência dela.*
A sensibilidade afetiva também é geral nos criminosos. Não é que seus efeitos estejam neles completamente ausentes, como imaginam os romancistas ruins. Mas enquanto eles batem no coração dos seres humanos, parecem mudos no peito dos delinquentes, especialmente após o desenvolvimento da puberdade.
O primeiro a se calar é a compaixão pela desgraça do outro, o que, segundo alguns psicólogos, tem raiz no egoísmo. Lacenaire afirmou não ter sentido aversão a nenhum cadáver, tanto quanto ao de seu gato. "A visão de um agonizante não me toca. Eu mato um homem como bebo uma taça de vinho."

O celular de Suzane tocou por volta das dez e meia da noite de 30 de outubro de 2002. Era Andreas, seu irmão, chamando, conforme tinham minuciosamente combinado.
– Dormiram. Vem me buscar.
– Tem certeza?
– Claro. Apagaram como sempre. Já até chamei na porta do quarto, e nem deram sinal de vida.
Suzane quase achou graça da piada infame, mas involuntária, do irmão. Ela o conhecia bem o bastante para saber que o garoto

---
[*] Os textos que abrem os capítulos são excertos de *O homem delinquente*, de Cesare Lombroso (1835-1909).

não seria capaz de construir a frase com intuito de divertir naquele momento tão arriscado.

Quando sentia medo, Andreas carregava o semblante com aquilo que Manfred, o pai, chamava de *Herzlosigkeit*, um sentimento de aparente insensibilidade em relação ao mundo, que o ajudava a focar o problema e traçar objetivos para sua solução.

Andreas admirava o pai por essa característica e queria um dia poder sentir o mesmo desdém pelas coisas. Gostava de ser visto assim; sentia-se forte para tomar decisões.

– A sua felicidade é mais importante que a do outro. Então, nunca hesite em magoar alguém para você ficar feliz. Só avalie qual o prejuízo patrimonial que isso poderá lhe trazer. – Palavras que os filhos nunca esqueceriam.

Já a irmã, dizia o pai, tomou a fraqueza das mulheres. Sempre propensa a sensibilidades que enfraqueciam o caráter.

Marísia, a mãe, repudiava o tratamento que a família alemã do marido dispensava a ela e a seus filhos.

De origem aristocrática, a família desejava uma esposa patrícia para Manfred. Quando ele apresentou a namorada aos parentes, riram da brasilidade descontraída da mulher.

Não adiantou Marísia apresentar suas credenciais genéticas, que traziam o orgulho dos abastados comerciantes árabes. Nem mesmo o título de estudante de medicina os convenceu a aceitar aquele relacionamento.

No Brasil, a jovem Marísia era admirada por várias famílias ricas, como era a dela. Na Alemanha, por faltar-lhe fidalguia, era tida apenas como uma índia.

Ainda que respeitasse a coragem de Manfred em enfrentar os próprios pais para viverem um grande amor, sentia que ele nunca a perdoara por tê-lo afastado dos seus. Com o tempo, o carinho e a paixão se consolidaram em ritualísticos cumprimentos educados e contas a pagar. Avós e netos viam-se apenas em raras ocasiões.

— Seu rosto ainda tá doendo, Su?

— Um pouco, mas já passou. Coloquei gelo. Ficou inchado, mas logo vai sumir.

— O papai não devia ter te batido. — Andreas sussurrava palavras de conforto, mesmo tendo a certeza de que seus pais não acordariam. — Fique calma, vai dar tudo certo. A gente vai estar sempre junto, Su, porque você é a única pessoa que tenho na vida.

— Lembra de tudo o que combinamos, Andreas? Vamos te pegar aí em casa e te deixar na LAN *house*. Depois, eu e o Daniel vamos para o motel. Quando a gente terminar, buscamos você de volta.

— Terminar o quê?

Suzane tinha certeza de que o garoto fazia piada da situação.

Plantão noturno de 30 de outubro de 2002 no 27º Distrito Policial da Capital

Noite tranquila o suficiente para Eduardo pensar em ir embora antes de terminar o horário de serviço.

O prédio havia algumas horas estava em silêncio, só interrompido ocasionalmente pelo barulho intermitente da impressora matricial do escrivão escondido nos fundos.

A equipe da noite que lhe fazia companhia era a melhor que conseguira encontrar nos últimos anos. Rubens, o delegado, acabara de se formar na faculdade de direito. Novato na Polícia, calça-branca. Branquíssima. Passava a noite trancado em sua sala, estudando para o concurso do Ministério Público.

O frio da noite paulistana invadia o recinto pelas frestas da porta de entrada do DP, trazendo consigo a umidade da neblina que escondia a cidade. Sem novidades naquele turno, Eduardo sentiu que não teria nenhum caso interessante. O frio era melhor que a PM para evitar crimes.

Rubens confiava tanto em Eduardo que o deixava responsável pelo registro das ocorrências. Só no começo da manhã, no fim dos trabalhos, punha-se a assinar todos os BOs feitos pela equipe de plantonistas durante o expediente.

Para manter um bom ritmo de trabalho, os escrivães evitavam polêmicas no preenchimento dos boletins de ocorrência. No caso de dúvidas, elas deveriam ser levadas ao velho investigador antes de incomodar-se o delegado.

À meia-noite, as portas do prédio eram trancadas e as luzes eram apagadas para todos descansarem. Na manhã seguinte, todos estariam prontos para recomeçar o trabalho em seus bicos.

A tarefa mais desgastante que poderia aparecer era um flagrante trazido pela PM. A depender da natureza do crime e do número de envolvidos, toda a equipe teria de ser mobilizada por cinco ou seis horas apenas para formalizar a prisão dos criminosos.

Para evitar isso, Eduardo tinha toda a liberdade para arredondar a história que lhe fosse apresentada e até reduzir o caso a um simples registro. Mais um papel a ser preenchido.

Rubens não aparecia para conversar com os PMs, nem mesmo se o comandante da guarnição implorasse por sua presença. Eram raros os fatos apresentados pelos fardados que se tornavam procedimentos de flagrantes.

Os tenentes sabiam que de nada adiantava comunicar a Corregedoria da Polícia Civil a negligência daquela equipe. Os PMs haviam sido avisados de que Eduardo tinha dinheiro suficiente para bancar a autonomia de que dispunha no distrito. Com tanta grana, podia subornar desde o secretário de Segurança até o faxineiro do prédio.

Além disso, era ele quem comprava o jantar dos soldados do patrulhamento, além de arrumar bicos para a tropa e emprestar algum dinheiro quando alguém precisava. O batalhão aprendera que, estando aquela equipe de serviço na delegacia, só deveria aparecer com ocorrências inadiáveis.

Das poucas vezes que Rubens saía de sua sala, a mais previsível era para perguntar se alguém já fora buscar a comida. Eduardo, sempre prestativo:

– O que vai querer hoje, doutor? Pizza? Comida japonesa? Consegui um QRA num restaurante nos Jardins que é de foder a gula. O dono é um *playba*, paga-pau de polícia, amigo meu.

A única reclamação era quanto ao cigarro de Eduardo, que fingia não ouvir os pedidos para apagá-lo. O aviso de Não Fumar pendurado na parede era motivo de escárnio para o investigador. Chegou a tirar uma foto dele próprio apagando uma bituca na placa.

– Ainda está para nascer o governador que vai me impedir de fumar no meu plantão.

Rodrigo, o parceiro investigador, tinha acabado de sair da Academia de Polícia. Ainda desarmado, mostrava vontade de ajudar, perdido em meio ao público e ao crime. Gostava de conversar com Eduardo sobre como fora o começo deste na polícia e tentava descobrir o que deveria fazer para conseguir trabalhar em determinado departamento.

– Como é o trampo no DENARC? Adoraria ir pra lá.

A juventude estampada na pele de Rodrigo contrastava com as rugas de Eduardo. O garoto admirava o companheiro e a dedicação dele ao plantão, embora soubesse que, para subir na carreira, não poderia ficar o resto da vida ao lado dele naquele distrito.

Rodrigo tinha pressa em abandonar o atendimento ao público; era preciso uma fonte de renda fora da polícia, como a frota de táxi que Eduardo possuía. Não tinha dúvidas de que o lucro dos negócios externos deixara o experiente parceiro com a opção de não mendigar vaga nos departamentos de polícia mais rentáveis.

– Um lixo. Sabe o que é acordar sem saber se sua prisão provisória foi pedida? Ou usar o telefone medindo palavras porque não sabe se ele está grampeado?

Havia um tom de frustração naqueles comentários que faziam crescer o temor de Rodrigo pelo Departamento de Narcóticos. Mesmo assim, sentia-se atraído por aquele lugar. Viaturas frias à vontade, com a liberdade de poder levá-las para casa. Isso sim era polícia.

– Tem alguma equipe do DENARC que não seja suja, Edu?

– Não. Nem os polícias que ficam na portaria. Outro dia, cheguei lá e dei bom-dia ao tira da recepção, e ele respondeu: "Quanto é?".

Riram da piada porque era engraçada. Apesar de não conhecer nenhum policial do DENARC, Rodrigo sabia que a verdade não estava distante do que lhe havia contado o parceiro. Ele queria investigar e deixar de ser o porteiro do plantão. Não lhe dariam uma arma para atender madame assaltada por pivete em semáforo. Considerava isso trabalho de PM. Isso era coisa menor, sem importância.

– Na Narcóticos, tive um parceiro bacana. Compadre do Geleião. Ele mesmo, o Geleião. Esse polícia era quem sabia se a droga apreendida era do PCC. Todas as equipes, quando faziam uma grande apreensão, entravam em contato com o meu amigo para saber se a droga vinha do PCC. Se não fosse, poderiam vender o produto. Caso contrário, deixavam ir embora.

O rapaz mordiscava a tampa da caneta Bic, ouvindo com a atenção de um bom aluno:

– E se ela não fosse do partido?

Eduardo pareceu sorrir ao tentar mirar o infinito do lado de fora do distrito através da porta de vidro escuro. Viu apenas a si próprio e ao parceiro refletidos. Limpou todos os dentes com a língua. Coçou a barba rala do queixo e, jogando o cigarro para o canto da boca, tragou-o com uma pausa para saborear. Depois expirou a fumaça pelo nariz.

– Se não fosse do PCC, então não era de ninguém. Aí não faltava doido querendo comprar. O DENARC tem o melhor preço do mercado.

Rodrigo imaginou que a aversão de Eduardo ao Departamento de Narcóticos poderia ser exagero. Aquela era mais uma das muitas histórias que ecoavam pelos corredores das delegacias e que nunca seriam confirmadas. De qualquer forma, o bom humor do parceiro ainda lhe causava surpresa. Após os três meses de aprendizado na Academia esperava encontrar no trabalho pessoas endurecidas, como deveriam ser os polícia.

Apesar das risadas, havia em Eduardo um silêncio que o incomodava. Olhos pesados, espremidos sob as pesadas sobrancelhas, compunham o semblante sempre desafiador do parceiro. As órbitas percorriam o ambiente, como se buscasse um perigo escondido. No começo, Rodrigo não gostava da sensação de estar sendo discretamente vigiado pelo colega. Nas primeiras vezes, assustou-se com os olhares inesperados, pois achou que o velho fosse *gay*.

Com o tempo, percebeu que aquele era um hábito compulsivo do tira, como se quisesse antecipar os movimentos de pessoas indistintas, em uma campana sem fim.

Muitas vezes a cabeça não acompanhava o movimento dos olhos, apontando em direção diversa do objeto de sua atenção. Apesar de parecer ocupado com um interlocutor qualquer, Rodrigo notava que Eduardo sempre tentava acompanhar um diálogo próximo. Os motivos disso ninguém entendia.

Impossível não parar o que se estava fazendo quando o trovão de sua voz pastosa interrompia as longas horas de mudez. Como fazia agora, por volta das quatro da manhã, ao anunciar o repentino barulho da Blazer estacionando no pátio do prédio.

Quebrando a monocórdica sinfonia daquela madrugada tediosa, Eduardo maldisse os PMs que entrariam pela porta do DP.

– Porra! Logo agora que eu ia dormir?

Os soldados que estavam na rua eram de sua confiança e certamente não estariam lhe trazendo uma ocorrência menor apenas para atrapalhar-lhe o sono. Por isso, àquela hora, só poderiam anunciar más notícias. Todos torceram para que eles apenas quisessem usar o banheiro ou aproveitar o café quente da cozinha.

– Salve!

Eduardo e Rodrigo responderam com sorriso o cumprimento dos três policiais militares que entraram rapidamente no prédio, fechando a porta atrás de si para não deixar o frio passar. Como era praxe, conversaram sobre o movimento das ruas na região e reclamaram da noite congelante dentro da viatura. Eduardo ofereceu o pátio atrás da delegacia para estacionarem e dormirem.

– Obrigado, Edu. Mas acho que a noite será longa. O menino aí já viu um presunto na vida?

– Não. Ele é da nova turma, acabou de sair da Academia. Está na Polícia há menos de um mês. Nem arma lhe deram ainda. – Depois de alguns segundos rindo da condição de Rodrigo, o pesar nos semblantes dos soldados denunciou a dimensão do que iriam anunciar.

– Pois hoje ele terá a chance de ver dois de uma vez. E de mãos dadas. Tenho dezessete anos na firma e nunca vi uma cena assim. As viaturas estão lá na rua Zacarias de Góes, 232. Um casal de bacanas foi encontrado morto na cama. Os filhos tinham saído, e, quando voltaram, encontraram os corpos. Parece que foram mortos a pauladas. Tem café?

– Que sorte, hein, Rodrigo? Seu primeiro homicídio vai ser comigo. Tá pronto pra ser descabaçado?

Suzane e Daniel apaixonados

> 5. *Demência moral e o delito entre as crianças.*
> 10. *Vaidade.*
> *Os garotos mostram-se atrevidos desde os 7 ou 8 meses. Lutam com afinco para não perderem os presentes que ganham. Vi casos de meninos com 9, 10 meses, chorarem para que fossem vestidos com determinada roupa graciosa. Outro, de 22 meses, queria roupa azul, e outro sempre dizia que queria vestir-se com roupas de casamento.*
> *Mostram-se orgulhosos por ter o pai professor, conde, empresário, etc. Há alguns que, mesmo de posses restritas, revelavam-se às amigas em proporção relevante para se passarem por ricos. Os meninos mais ignorantes não admitem jamais serem confrontados por causa da incapacidade. Repelem as repreensões com falsas razões, sempre estranhas aos próprios erros. Eis aí uma ilusão trazida pelo amor-próprio.*

A madrugada tinha sido gelada, mas agora o sol atingia seu ponto mais alto no céu de São Paulo e o asfalto se aquecia, tornando o gole da cerveja a extensão do prazer que os namorados sentiam por estarem ali, juntos, ao redor da churrasqueira.

Daniel ensinou Suzane que a bebida estava perfeita para ser apreciada quando no limiar do congelamento. Quase pedra, mas não tão líquida. Não importava se inverno ou verão.

Todos vestiam alguma peça de roupa amarela, tinham a voz rouca graças aos gritos de gol durante a partida entre a seleção do Brasil e a da Turquia. O jogo realizado na Coreia do Sul os obrigou a acordar cedo; mas era um bom motivo para assarem carne e festejarem desde as seis da manhã.

Apesar de ainda ser terça-feira, Suzane tinha decidido que o dia era por demais especial para ir à aula na faculdade. Preferia ficar ali, ouvindo os comentários dos homens sobre o péssimo juiz da partida e os problemas que a equipe brasileira enfrentaria para ganhar a Copa do Mundo.

O corpo de Suzane floresceu nos quatro anos de namoro com Daniel. A mulher de agora não lembrava a criança que um dia foi. Ter o abraço do rapaz era uma das poucas coisas que lhe tranquilizava o coração. Dizia a ele que gostava de sua saliva, de seu hálito. Pedia-lhe para envolvê-la no abraço apertado que ele gostava de oferecer. Faziam planos para um futuro de companheirismo e sinceridade. Escolheram o nome dos filhos, um casal que seria educado na gentileza e no amor incondicional, como deve ser o de um pai e uma mãe.

O quintal da casa onde a família estava reunida tinha um piso de cimento com rachaduras no centro, que dividiam o lugar em placas desniveladas unidas por linhas de lama e limo.

– Seu pai deve gostar de música clássica, né, Su? – perguntou Cravinhos, o pai de Daniel, enquanto limpava das mãos o sangue da carne no pano de prato branco com franjas de crochê amarelo que trazia preso à cintura, antes de agachar-se para mexer na antena do pequeno rádio.

Antes de responder, Suzane teve o cuidado de engolir a carne da asa de frango que mastigava.

– Eu nunca sei. Ele tem CDs do David Bowie e do Caetano – respondeu ela, levando, por prudência, a mão discretamente até a frente do rosto para esconder os dentes talvez sujos de tempero.

As cadeiras de plástico branco espremidas em volta da mesa davam ideia das pequenas dimensões do espaço disponível para todos se sentarem, disputado também pelas caixas de isopor.

Sobre a mesa, pratos empilhados ao lado da panela de arroz e potes de maionese com batata, originalmente usados para guardar sorvete.

Daniel é um rapaz alto, de músculos desenhados. Sua aparência de atleta chama a atenção das garotas do bairro, deixando Cravinhos preocupado com a hipótese de tornar-se avô antes de seu menino ter uma profissão na vida.

O outro filho, Cristian, apesar de ainda não ter se estabelecido como mecânico de motocicleta, já era capaz de, com certo esforço, prover seu sustento com os pequenos consertos e negócios que fazia pela vizinhança.

Cravinhos se afeiçoara à menina loira de gengivas salientes, como se já fosse membro da família. A reciprocidade de Suzane era na mesma medida. Os dois haviam se acostumado aos apelidos carinhosos de pai e filha e à troca de afagos. Notava-se o orgulho do homem pelo relacionamento do filho.

Gostava de saber que a menina, apesar de bem-nascida, não se importava com os costumes simples daquela família nem com a singeleza da casa, cujas paredes expunham tijolos pintados.

Mas nem sempre fora assim. Logo que a nova paixão de Daniel apareceu, Cravinhos ficou apreensivo, pois não confiava na maturidade emocional do filho caçula, principalmente depois de descobrir que os pais de Suzane não faziam gosto no relacionamento.

As feições principescas da moça impressionavam a todos. No começo, achou que era apenas uma aventura de menina mimada, cujos pais, egoístas, tratam os filhos como compromissos laborais que devem ser abandonados ao final do expediente, quando então poderão dedicar-se ao prazer pessoal de adulto.

Apaixonar-se por alguém com um passado assim era certeza de sofrimento, coisa que não desejava para o seu filho.

Como escrivão aposentado, vira inúmeras vezes no fórum casos de filhas abastadas que se envolviam com criminosos com a nítida intenção de vingar-se dos pais (eram mais ou menos esses os termos que se lembrava de ter lido nos exames criminológicos dos réus).

Às vezes poderia ser um ato desesperado, uma entrega ao primeiro carinho que encontraram disponível. Não que seu filho fosse dado a atos ilícitos. Mas o princípio era o mesmo.

Passado um ano de encontros furtivos, Cravinhos sentiu que a atenção de Suzane para com Daniel só aumentava.

O espírito do pai tranquilizou-se quando Andreas, irmão de Suzane, passou a frequentar também a casa dele. O afeto entre o menino e seu filho era puro. Além de terem interesses comuns, Daniel e o garoto construíram uma amizade confidente, tão comum entre irmãos carinhosos.

Suzane parecia feliz por enfim ter dado ao irmão a chance de confiar num amigo desinteressado, diferente dos competitivos meninos da escola. Ela enfrentou sozinha a rejeição da mãe ao relacionamento. Contava para Cravinhos, em prantos, todas as brigas que tinham nos momentos em que Marísia a obrigava a desistir do namoro e repensar seus objetivos na vida.

Queria a filha formada na Europa, longe de Daniel. Ela confessou que a mãe se envergonhava da diferença cultural entre os dois, principalmente porque ele não falava inglês.

Os sentimentos de Marísia por Daniel entristeciam Cravinhos. Mas a força de Suzane em acreditar naquele amor o convencia de que era o melhor para ela, para Andreas e para Daniel. Páscoas, Natais, aniversários; não havia uma só comemoração em que os três não se divertissem juntos, a ponto de não quererem separar-se na despedida. A irmã o protegia com o útero; Daniel o ensinava com o coração.

Mas, para Cravinhos, faltava ainda compartilhar com Manfred e Marísia a alegria que Suzane lhe proporcionava. Uma família pela metade, isolada em núcleos orgulhosos, não poderia dar certo.

A relutância dos pais de Suzane só poderia ser fruto do desconhecimento do caráter de Daniel, pensava o pai do rapaz. Pois, se o conhecessem melhor, teriam certeza da natureza de homem trabalhador e dedicado à família que ele tão bem assimilou do pai.

O menino era educado, inteligente, e, embora não fosse tão dedicado aos estudos quanto Suzane, tinha talento para os pequenos aviões de brinquedo, a mecânica e o comércio de minúsculas aeronaves. Como poderiam duvidar de um batalhador que conseguiu a quinta colocação no campeonato mundial de aeromodelismo?

Então, concluía o pai, se o problema não era Daniel, certamente a rejeição se devia ao fato de tornarem-se membros de uma família tão humilde.

Cravinhos, pelos anos de contato com juízes e promotores, sabia portar-se adequadamente diante de pessoas sofisticadas, como eram seus futuros compadres. Não havia motivo para se envergonharem. O vocabulário rico, a aparência cuidada e os modos sutis não denunciariam sua origem.

Enquanto enfileiravam as suculentas linguiças no espeto, as risadas altas foram interrompidas pelo barulho estridente de um motor sendo acionado em frente à casa. Tinham se acostumado à chegada de Cristian anunciada por esse ruído.

– O Cristian não vai parar de acelerar essa porcaria? – reclamou Cravinhos. Os demais observavam em silêncio o ronco da motocicleta espalhar-se pelo quintal, como se aguardassem alguma notícia vinda da rua. O incômodo som parecia chamá-los para verificar o que estava ocorrendo.

Andreas deixou o banquinho onde pintava a cabine de um Tucano e correu para o portão. Cravinhos, num cochicho, comentou a falta de atenção do garoto no cumprimento da tarefa e foi imediatamente repreendido por Daniel:

– Deixa o menino, pai. Parece que não conhece criança.

O ronco logo cessou. Depois de alguns minutos, o insistente grito de Andreas chamando pela irmã a fez abandonar a conversa com os amigos e correr para atendê-lo. Ao chegar à rua, viu Cristian agachado na calçada, sem camisa, ao lado de uma Mobilete.

Montado no veículo, Andreas apresentava uma alegria poucas vezes vista:

– Olha só, Su, eu consigo alcançar o chão com os pés. Posso dar uma volta?

Cristian esfregava as unhas na calça, tentando limpar a ponta dos dedos sujos de graxa. Ele morava com a avó num prédio próximo dali; foi a forma que a família conseguiu de, ao mesmo tempo, minimizar a solidão da velha senhora e dar mais privacidade ao primogênito da família Cravinhos.

Um apartamento confortável para duas pessoas, lugar para os netos não serem incomodados quando quisessem sossego.

– Mas, Andreas, isso é seguro?

– Claro que é, Suzane – advertiu Cristian, colocando-se de pé –, acabei de fazer a revisão. É bem antigona, mas não tem máquina melhor para o garoto aprender a pilotar.

– E o capacete?

– Ele não tem nem carta, pra que o capacete?

Daniel apareceu em seguida e abraçou o irmão, dando-lhe uns fortes tapas nas costas. Quando perguntou sobre a Mobilete,

Cristian deu de ombros, demonstrando não estar interessado em esclarecer a procedência do veículo.

– O Cristian tá vendendo, Daniel. Cento e cinquenta reais.

– Tá barato. Quer rachar o preço dela comigo? Eu pago metade.

Suzane abraçou Daniel com força, feliz com a proposta de negócio que ele fizera ao irmão dela. Andreas aprovou a sociedade com sonora alegria. Desde o começo do namoro, o garoto se mostrava cada dia mais seguro, com opiniões mais firmes. Era raro vê-lo chorar, como fazia antigamente.

– Acredita que essa bosta tem embreagem automática? – Cristian interrompeu a comemoração do grupo. – É sério. A correia é ligada a uma polia cônica. Veja só, Andreas – virou-se para o garoto, agachando-se novamente para poder mostrar melhor as peças do equipamento. – Todas as vezes que for abastecer, pegue a tampa do tanque e encha com esse óleo aqui, só para saber qual a quantidade certa. Depois você joga o óleo dentro do tanque, para misturar com a gasolina. Só pode ser esse, que é especial para motor de dois tempos. Se colocar outro, você fode o pistão.

A pele de Andreas enrubescia conforme ele intensificava a força das pedaladas na Mobilete. As veias saltavam-lhe na testa, riscando de azul o rosto suado. Quando conseguiu fazer o motor funcionar, não saiu de imediato.

Cristian pediu-lhe que primeiro sentisse a sensibilidade do acelerador e o torque do motor.

Suzane, apreensiva, o fez prometer que não iria além da esquina.

A fumaça do escapamento acompanhava Andreas por todo o trajeto, riscando a rua e deixando um fedor de óleo queimado e gasolina.

– Tem massa aí?

– Aqui? Comigo? – respondeu Cristian ao irmão. – Não, maluco. Mas tenho na vó. Vamos lá? Aproveitamos que ela está conversando com o papai.

Suzane mostrou o sorriso que tanto agradava a Daniel, aprovando a ideia de prolongarem a comemoração. Ia começar um elogio à qualidade da maconha que Cristian sempre conseguia, mas o pensamento foi interrompido pelo estrondo metálico da queda de Andreas.

Imóvel por alguns minutos, o garoto demonstrou não saber o que fazer. Suzane foi a primeira a aproximar-se. Seu irmão, em caretas de dor que lembravam um choro sufocado, segurava o joelho que sangrava. De longe, Cristian se antecipou:

– Levanta, porra! Parece que nunca caiu na vida.

Os olhos do menino ameaçaram encher-se de lágrimas:

– Desculpa, Su. Não conta nada pro papai.

Daniel deu a mão para Andreas levantar-se, e juntos avaliaram que os estragos na motoca eram mínimos. Já a dor no joelho só não era menor que o medo da possível reação do pai à notícia de seu tombo.

– Fica tranquilo, Andreas. Ele ainda deve estar bêbado de alegria com a vitória de oito a zero da Alemanha. Vem, guarda a Mobilete e vamos à casa da vó deles.

– Na casa da vó? Oba!

Corpos de mãos dadas

Não era o primeiro homicídio que Eduardo atendia naquele distrito policial. A ocorrência não era corriqueira, mas a rotina era a mesma.

O delegado Rubens pensou em repassar o serviço para a equipe que os renderia no plantão, mas teve que mudar de ideia depois de receber um telefonema do seu delegado titular orientando a boa elaboração do boletim de ocorrência do caso.

Eduardo iria ao local mesmo sem a pressão dos superiores. Queria participar do atendimento, porque tudo o que acontecia de importante no bairro era de seu interesse. O distrito era seu, por isso devia zelar pelo bom trabalho.

Para ele, ninguém tinha o direito de tirá-lo dali e mandá-lo para qualquer outro lugar. Conhecia cada sarjeta do bairro Campo Belo, todos os mendigos, inclusive os que desapareceram. As putas, os pilantras. Lembrava de cabeça o nome de todos os PMs que já haviam passado pela companhia da região. E dos delegados. Outro dia tentou contar com quantos *majuras* já tinha puxado plantão naquele lugar. Mais de mil.

– Não estou brincando. Muito mais de mil.

Bradava o número para lembrar a todos quanto queria ficar por ali onde estava, e que por isso pagava caro.

O delegado Rubens entrou na viatura com o mau humor de quem ia contrariado. Teria um exame logo pela manhã e, se a ocorrência que iriam atender se estendesse, provavelmente não teria chance de aprovação.

Pelo rádio, deveriam comunicar ao CEPOL os dados da abertura do talão daquela diligência, o motivo da saída e a quilometragem inicial do carro.

Eduardo, ao volante, disse que a tarefa era trabalho de novato e por isso a passou a Rodrigo, sentado no banco de trás.

– Porra! Acredita que o delegado titular ligou me cobrando que fosse atender a esse homicídio? E disse que estava indo para o local. Não fosse por isso, eu teria ficado na minha sala. Já viu titular de distrito policial atender local de crime? – Rubens arrumava a gravata enquanto se olhava no espelho retrovisor do carro.

– Se o caso é um homicídio, por que não acionam o DHPP? – A dúvida de Eduardo era pertinente. Não fazia sentido mobilizar os investigadores do bairro se o departamento de investigações especializado no assunto iria assumir o trabalho. – O titular tá com medo do bonde?

– Sei lá, Edu. Isso tá me cheirando a briga de cachorro grande. O titular disse que o próprio secretário de Segurança ligou para ele pedindo atenção especial para isso. O foda é colocarem a gente no meio dessa palhaçada.

O temor do delegado fazia sentido para Eduardo. Rodrigo, atento à conversa, perguntou se era comum a Secretaria de Segurança interferir na rotina do plantão.

A resposta foi substituída por um silêncio de cumplicidade dentro da viatura, suficiente para satisfazer a curiosidade do jovem, mas não para esclarecê-la. Eduardo não responderia.

Para ele, as suposições não devem ser formuladas em palavras, mesmo numa conversa informal. A dúvida infundada não cabe na boca de um policial, que só deve falar quando tiver certeza de que pode provar, e escrever somente quando inevitável.

O garoto, sem saber, aprendeu essa importante lição ainda no começo da carreira, ao contrário de Eduardo, que nem se lembrava mais o que teve que perder para aprender a ficar calado.

Sua primeira delegacia logo que saiu da Academia, portando apenas o recorte do *Diário Oficial* em que constava sua nomeação no cargo, foi o plantão do 10º DP, na rua Aricanduva. A pele caída sobre o queixo ainda não tinha aparecido, e os ossos do rosto desenhavam-lhe contornos salientes na aparência.

Destacava-se pela altura, que sabia muito bem usar para inquietar as moças e os bandidos.

Carregava duas armas consigo. Um trinta e oito cano curto na canela direita, cinco tiros. Há alguns anos a polícia lhe deu uma pistola ponto quarenta cromada, Taurus, com onze besouros sem asas (um sempre dormindo na agulha).

— Uma bosta de arma. Quando menos se espera a cápsula entope a câmara. Serve de enfeite na cintura da PM, mas não presta para investigação. Ela grita no escuro; todo mundo vê quando você entra em algum lugar com uma arma cromada. Arma de tira tem que ser preta, fosca; discreta como a investigação.

A sua primeira boa chance de trabalho na Polícia foi em 1979, no DOPS, o departamento de repressão política nos anos do regime militar.

— Não conheci o delegado Fleury por preguiça de me apresentar. Ainda bem. Acredita que quando ele foi dar a cana no Marighella estava tão bêbado que acabou atirando na bunda de um escrivão?

Todos tinham outros nomes e outras carteiras. Fez diligências com policiais federais, soldados do Exército, policiais militares. Nunca entendeu como podia haver tanta confusão de patente dentro de uma mesma instituição.

Apesar de ser investigador, muitas vezes recebeu ordens de coronéis, que esperavam dele a mesma reverência hierárquica de um soldado.

No DOPS, não trabalhava com o tipo de criminoso que gostaria. Mas estar ali era importante para convencer os colegas de sua sagacidade; tal impressão lhe permitiria transitar com mais facilidade pelas cadeiras dos departamentos especializados.

– Naquela época, prender subversivo dava mais prestígio que prender ladrão de banco.

Não demorou muito para Eduardo notar que trabalhar com político não era tão fácil quanto lidar com ladrão. Fazia campanas intermináveis, tomava depoimentos longos. Nunca conseguiu prender alguém que fosse merecedor de repercussão.

Tentou encontrar informantes influentes, mas a única coisa que conseguiu foi fazer amizade com gansos sem valor, que acabavam por levar todo o seu dinheiro e a droga disponível para o pagamento das informações.

Em comparação com os colegas, Eduardo não conseguia levantar algo de concreto que rendesse um inquérito. A maioria das pessoas que ouvia como suspeitos não passavam disso, apenas suspeitos.

– Uma *playboyzada* que decidiu lutar por outra ditadura. Eu gostava da minha, porra! Me deu emprego, casa, uma arma; o foda é que aquela criançada não aguentava um pau de arara. Tinham o dedo mole para matar, mas se cagavam de medo de nós. Teve uma menina que levou só um tapa e apagou, lá no prédio da OBAN, onde hoje é o 36º DP. – Riu baixinho com a mão na frente da boca. – Era tão comunista que até seu cabelo era vermelho. Quando ela subiu no choque disse pra mim que o povo iria se vingar. A vadia estudava na USP, andava de carro dado pelo papai e me vinha com papo de povo. Povo! Ela podia começar a revolução registrando a carteira de trabalho da empregada que lavava suas calcinhas.

Quando contava essa história sempre parava nesse exato ponto. Em certas ocasiões, principalmente naquelas em que as palavras eram embaladas pelo álcool, ia além e deixava escapar que a garota morreu com um soco que ele próprio desferiu. Na queda, a cabeça da menina atingiu a quina da mesa com violência, imprimindo parte da massa cerebral na madeira do móvel.

Dizia que o pai, médico, quando soube do desaparecimento da filha, alardeou no DP que ia reclamar com o coronel. E podia mesmo ter ido se Eduardo não tivesse lhe dado uma coronhada de calibre doze na testa enquanto ele gritava na delegacia. Pai e filha foram enterrados juntos em Perus. A mãe nunca apareceu para reclamar os parentes.

Essa ocorrência lhe conferiu o apelido de doido. O zica. Policial que só arruma confusão e que ninguém se arrisca a ter na equipe. Repetia a história como achava que deveria ser, na esperança de que se esquecessem da alcunha que o impediu de galgar postos mais altos na carreira.

De nada adiantou. Passou a entregar intimações e atender o balcão da frente da repartição policial.

Em 1983, com a extinção do DOPS, Eduardo foi abandonado pelos parceiros de trabalho e ficou sem rumo profissional dentro da instituição. As equipes foram desmontadas, e os grupos reconstruídos em outros departamentos.

O antigo chefe não lhe queria mal, por isso deu a ele a chance de escolher o distrito em que gostaria de trabalhar. Foi para o 3º DP, na rua Aurora, bem na boca do lixo, centrão de São Paulo. Depois disso, correu todos os lados da cidade.

Acabou por ver de tudo na Polícia. Assinou muitas broncas, mas nada difamante; um 129 aqui, um 121 ali, um desacato acolá. Tudo resolvido sem manchas no prontuário.

A idade já lhe pesava quando conseguiu convencer um colega das antigas a convidá-lo para trabalhar no DENARC. Sabia que aquela seria sua última chance num departamento.

Os anos de distritos, se lhe deram a malandragem da rua, também o encheram de vícios. Tentava disfarçá-los para demonstrar aos novos parceiros que era merecedor da chance concedida.

Em pouco tempo, para surpresa da equipe, abandonou sua única investigação com a Narcóticos e concluiu que o melhor seria ir embora, voltar para os distritos policiais e o contato com o público. Quando lhe perguntavam o motivo de sua inesperada saída, respondia:

– Fui para o DENARC acreditando que iria resolver treta com traficante e trancá-los na pedra do Carandiru. Por pouco eu não fui preso. Vou me aposentar em breve e quero sossego.

E ninguém questionava mais nada. Isso bastava para encerrar o assunto.

E assim chegou ao plantão do 27º DP, no Campo Belo. Nada parecido com a sujeira dos antigos distritos onde trabalhara. Bairro familiar, muitas casas de gente afortunada. Sempre no plantão, no atendimento ao público.

Para não morrer de fome, montou uma empresa de radiotáxi e outra de serviços de entrega por motoboys.

Ganhava no bico o que os delegados não sonhavam receber numa vida inteira de trabalho. E para ele tudo ia muito bem assim. Ali, conseguiu fazer o que mais gostava: investigar. Sozinho, montou uma estrutura de atendimento que causava inveja aos policiais da chefia, que deveriam ser os verdadeiros responsáveis pela investigação daquele DP.

Arrumou uma sala para guardar os melhores trabalhos e atender ao pessoal. Mesa grande, cadeira confortável. Como retribuição à sua generosidade, conseguia escolher os integrantes das equipes com que ia trabalhar. Normalmente optava por policiais novos, que estavam ali para estudar e partir para outro cargo público.

Ou então aquele que não se propunha a roubar, fosse qual fosse o motivo que o levara a desinteressar-se pelo dinheiro fácil.

Costumava emprestar dinheiro aos colegas mais necessitados, com filho doente ou dívidas impagáveis. Menos frequente era cobrá-lo de volta.

As chefias, que constantemente se revezavam no segundo andar da delegacia, não o atormentavam no plantão, porque pagava a mensalidade por sua estabilidade na repartição com a mesma frequência que um fiel paga o dízimo.

E quando o chefe dos investigadores precisava de alguma ajuda sobre certo caso que não conseguia resolver, era a Eduardo que recorria.

No plantão, os colegas não entendiam o critério de Eduardo para escolher as ocorrências a que atendia. Fora a obviedade das mulheres corpulentas, os policiais chegavam a fazer apostas para descobrir quem o investigador sortearia na sala de espera, dentre tantas pessoas desesperadas para relatar seu sofrimento.

— Tenho recebido telefonemas ameaçadores.

Era sempre assim: ele lançava os olhos pela sala lotada de pessoas que aguardavam para ser chamadas e, se por acaso, alguma mulher não se destacasse de imediato entre os contribuintes aproximava-se e perguntava um a um o motivo de estar ali.

— Deixei meu carro parado na rua, e, se quando voltei, ele não estava mais lá.

— Fui roubada quando saía do banco.

No primeiro contato, após ouvir o breve relato da vítima, caso não se interessasse pelo assunto, dispensava a ocorrência ali mesmo com um previsível "aguarde ser chamado". O ritual seguia até encontrar algo que valesse a pena.

Eleito o sortudo, coçava a rala barba grisalha e convidava a pessoa a acompanhá-lo até sua sala, deixando para trás um rastro de fumaça do cigarro sempre presente no canto de boca.

Com a porta trancada, as paredes grossas da sala proporcionavam um ambiente isolado. Os olhos fixos do policial não deixavam escapar nem um dos movimentos do entrevistado, nem mesmo os que pareciam fora do seu campo de visão. Conversava, dava conselhos, pedia informações que anotava em seu caderno.

Aos poucos, quando pressentia o momento adequado, invadia a vida pessoal do atendido. Descobria histórias intrigantes nas entrelinhas da narrativa: filhos que suplicavam pelo carinho dos pais, amigos que se desentendiam por causa de garotas, esposas solitárias.

Sempre impessoal, não permitia que se criassem laços afetivos. O polícia e a vítima nunca formaram uma parceria saudável para nenhuma das partes. Só não resistia ao carinho de uma mulher carente, que via na segurança da arma do policial um consolo para medos inconfessáveis. Nunca se casou.

– Ontem conheci uma pessoa. Eu a levei para meu apartamento e então, quando acordei, todos os meus bens tinham sido levados embora.

– Mulher?

– Não. Um homem.

– Onde o senhor o conheceu?

– No portão três do parque Ibirapuera.

Esse tipo de vítima, por exemplo, era a mais difícil para trabalhar. Queria ser ajudada, mas nunca contava a história toda. Eduardo precisava preencher o que não sabia com suposições.

No fim do atendimento, Eduardo relatava seus apontamentos como se quisesse confirmar a história ouvida. As observações impressionavam pela sagacidade do raciocínio. Construía frases perfeitas, sem nenhuma palavra desnecessária, e nada do que escrevia no papel era inútil.

Nunca arriscava indicar possíveis suspeitos, e já dizia se havia ou não possibilidade de solucionar o caso, o que costumava causar espanto no contribuinte.

– O senhor foi vítima de um boa-noite-cinderela. – O homem ouviu o velho investigador com alívio.

– Ai, moço. Que bom que o senhor me entendeu. Estava com vergonha de contar. Sabe o que é, vou ser sincero: meu pai mora em Mato Grosso e amanhã ele vem me visitar. Eu não sei como explicar a ele que meus bens foram levados. O senhor poderia colocar no boletim de ocorrência que foi um furto normal?

Eduardo não tinha mais idade para mentir no BO. Nem precisava aceitar dinheiro para fazer isso. A principal vantagem de possuir uma empresa lucrativa era o conforto de poder fazer o que quisesse na Polícia, e da forma que achasse melhor.

– Não escrevo falsos BOs. Se quiser conversar com o delegado e pedir para ele arredondar sua ocorrência, fique à vontade. Mas sugiro que diga ao seu pai que você é drogado, e que vendeu tudo o que tinha para comprar o veneno. Tenho certeza de que ele dará apoio a um filho viciado, mas nunca aceitará um filho que dá o cu.

Rubens não dava muita atenção às histórias de Eduardo. Confiava em seu trabalho, e via no investigador a oportunidade de projetar-se em outra carreira.

Rodrigo, ao contrário, ouvia os relatos do parceiro como se tivesse presenciado a experiência. Só não conseguia entender os motivos que o levaram a abandonar o DENARC, principalmente porque Eduardo evitava o assunto.

– Edu. Me falaram que você não tinha as empresas enquanto estava no DENARC. Como conseguiu a grana para montá-las?

Rubens parou de escrever nos papéis que carregava para ouvir a resposta que Eduardo daria ao rapaz. Por um momento, esqueceu-se da inquietação que sentia pela notícia do duplo homicídio que deveriam atender.

Não notou maldade na pergunta de Rodrigo, por isso só podia entendê-la como fruto da inocência do rapaz. Mesmo com a pouca vivência do delegado na instituição, era certo que perguntas tão íntimas poderiam ser motivos de brigas fatais.

– Falar, todo mundo fala, moleque. Até papagaio fala. Só não fala quem já morreu! – E mais uma vez o silêncio esclarecedor.

Estacionou bruscamente o carro, surpreendendo seus ocupantes. Levantou a barra da calça e sacou seu trinta e oito. Girou o corpo para trás com tal rapidez que despertou certa apreensão em Rubens e produziu no garoto um soluço recolhido de medo.

– Toma isso aqui. Sabe usar? – Ofereceu o cabo do revólver para Rodrigo, segurando-o pelo cano. – Não quero ir pra rua com polícia desarmado do meu lado.

Era no 27º DP que iria aposentar-se.

Grillfest de verdade

10. Afetos e paixões nos delinquentes
6. Da crueldade
Hoje em dia o delinquente se enfurece sem motivos, ou então só pelo lucro. Quando são motivados pela paixão da vingança, ambição não satisfeita, ou pela vaidade ofendida, os instintos cruéis do homem primitivo vêm à tona, enquanto a insensibilidade à moral anula o horror diante da dor do sofrimento alheio.
Ao que parece, nesses casos, mistura-se uma paixão sensual que provoca excitação diante do sangue. Encontramos também essas cenas sanguinárias em casos de estupros, ou em homens forçados à castidade como padres, presidiários, soldados, pastores, ou logo após a puberdade.
Adicione-se a isso uma alteração profunda da psique do delinquente, que os sujeita a uma irritabilidade sem causa, da mesma forma como encontramos nos animais selvagens. Mas todos têm uma "hora feia" em que não sabem dominar-se.

Em certos momentos, Daniel não entendia bem o que passava na cabeça de Suzane.

O sorriso contagiante da garota irradiava alegria; seus dentes ancorados nas gengivas proeminentes e delicadas pareciam uma estrutura para compartilhar alegria. Mas seus rompantes de melancolia eram frequentes e quase sempre terminavam em sessões de choro.

Daniel chamava sua sogra de doutora Marísia, da mesma forma que Fátima, a empregada da casa. Ela parecia não importar-se de ser tratada pelo título acadêmico nos momentos de informalidade, como agora, por exemplo, em que ele cuidava de assar a carne na churrasqueira do sítio da família Richthofen.

Embalada pelo álcool, Marísia conversava com o namorado de sua filha feito a patroa que dá orientações ao empregado do sítio sobre o melhor modo de capinar o campo.

Daniel achava graça na voz rouca da mulher e nunca discordava das opiniões dela.

Manfred não parecia alterado pela cerveja, apesar de ter bebido o suficiente para Daniel espantar-se com o fato de o alemão não entrar em coma alcoólico.

– *Grillfest* de verdade! – dizia Manfred. Ele gostava do sabor da picanha, mas reclamava de não encontrar carne de javali com corte adequado para ser grelhada. Ajoelhado no jardim, agrupava pedras em círculo que eram preenchidas com carvão.

Em volta, colocava grandes toras de madeira em pé, formando um cone. Quando a cabaninha conseguiu estabilidade, pendurou a panela de grelhar no centro e meteu fogo embaixo.

Daniel achava curioso assar salsichas na churrasqueira. De diversos tamanhos e cores, mas, para ele, o sabor dos embutidos era sempre o mesmo.

– A Suzane vai terminar o curso de direito e morar na Alemanha com a gente. – Marísia parecia querer informar ao namorado da filha o destino daquele relacionamento.

A menina não se pronunciava na frente da mãe. Esperava ela retirar-se para reiterar a Daniel o ódio que sentia pelo controle exercido por aquela família.

– Sexta-feira, quando fomos jantar com o governador, toda a elite paulistana estava lá. Uma gente bonita, sofisticada, sabe? É preciso ter berço para chegar a essa educação. Não basta ter dinheiro. Por isso sempre tratamos nossa filha como uma princesa europeia. Assim, ela será tratada de igual para igual em qualquer parte do mundo. A gente precisa viajar bastante para o exterior para conhecer outras realidades, senão achamos que as coisas que os brasileiros fazem são normais.

Escondida da mãe, Suzane, sempre que ouvia os planos de Marísia, fazia caretas de desdém para Daniel.

– A Suzane está milionária! Não há melhor país para se ganhar dinheiro que o Brasil – interrompeu Manfred, em meio a gargalhadas.

A risada de Manfred foi acompanhada por um discreto sorriso de reprovação de Marísia. Daniel não entendeu muito bem o que o alemão quis dizer. Com o sotaque acentuado pela cerveja, achou que aquilo era mais uma piada tola, como tantas outras daquela tarde.

– Eu sempre quis que a Suzane tivesse filhos loirinhos e alemães, feito o pai.

– A vovó também queria ter tido netos alemães. – Suzane sabia desagradar à mãe.

Lembrar da rejeição da avó ao casamento de Marísia e Manfred era motivo de constantes brigas na família. A mãe conhecia a ardilosa provocação da filha e se calava para não recorrer à violência.

O dia transcorria com tolerância mútua entre todos. Antes de a noite cair, Suzane e Daniel foram caminhar pelo sítio com a desculpa de assistirem ao pôr do sol. Sentaram-se no topo de um morro, protegidos pelas altas árvores ao redor.

A vontade de acender um baseado os incomodava desde a manhã, mas era preciso cuidado com a severa vigilância dos pais. Por isso decidiram adiar a maconha até aquele momento, certos de que, de tão bêbados, Marísia e Manfred não conseguiriam identificar o cheiro da erva.

Por prudência, iriam tomar banho assim que chegassem à casa. Concordaram em acender outro cigarro, porque o primeiro queimara rápido demais.

Na terceira tragada, os olhos de Suzane já estavam inundados de lágrimas, que logo se precipitaram pelo rosto. Era o começo do choro que Daniel já conhecia:

– Viu que merda de vida eu tenho, Dani?

O namorado concordava com Suzane. Mas lembrava que os pais só queriam o bem dela, apesar de recorrerem a um método bastante agressivo para isso.

– Eles te odeiam, Dani. Querem que eu largue de você... Como eu posso abandonar uma pessoa tão iluminada, que só me faz feliz? Isso é querer o meu bem? Só você conseguiu me mostrar o que é felicidade.

Não era difícil para Daniel entender a dor de Suzane. Não gostava da arrogância dos pais dela, embora admirasse todo o sucesso que esbanjavam. Em certos momentos, via-se seduzido pela ideia de um dia desfrutar também de conforto como aquele.

– Você precisa ser forte, meu amor.

– Eles falam que sua família só tem bandido, Dani. Que seu irmão é traficante e ladrão de motos, e seu pai um mentiroso, que vive dizendo para todo mundo que é juiz aposentado. Foi isso que me falaram.

Daniel tinha decidido que no próximo semestre iria se matricular na faculdade de direito, tal qual Suzane, e seguiria com afinco a carreira de advogado. Não precisaria excluir de sua vida os aeromodelos; poderiam ser um *hobby* para dividir com os filhos.

Ao retornarem à casa, encontrou os pais sentados no sofá vendo TV. Suzane perguntou pelo sorvete da geladeira:

– Não vai tomar sorvete agora, Su. É muito tarde – observou Manfred.

– Não enche o saco, porra! O Daniel também quer...

Daniel, assustado com a reação de Suzane, aguardou enquanto viu Marísia levantar-se furiosa. O som do tamanco duro da mulher ressoando pela casa aumentava a tensão do rapaz.

Quando Suzane voltou, entregou uma taça com o doce gelado ao namorado.

– Você se acha muito adulta nos desrespeitando assim?

Suzane os mandou à merda. A mulher gritava, reclamando ao marido da insolência da filha. Exigiu que ele tomasse uma atitude condizente com a desobediência.

Aquela arrogância era inaceitável; um descaso com tudo o que os pais faziam por ela.

– Eu estou cansada de tudo isso! Vocês ficam me mandando fazer o que bem entendem; nunca pensam no que eu quero.

– Manfred. Fale alguma coisa para a sua filha! Não pode deixá-la sem uma reprimenda. Acha que ela está certa?

– Calem a boca vocês duas, caralho!

Um pai ofendendo esposa e filha daquela maneira era novidade para Daniel, principalmente numa família que se orgulhava de sua origem nobre, como eram os Richthofen.

Mas funcionou. O silêncio substituiu os gritos. Suzane ruminava o sorvete enquanto olhava para um ponto fixo na parede.

Daniel sentiu um desejo imenso de voltar para casa. Se não tivesse ido de carona com a família de Suzane, era o que teria feito naquele momento. Minutos intermináveis de constrangimento.

Marísia não esperou o calor da discussão terminar para retomar seus apontamentos:

– Que bosta, Suzane! Por que você tem que ser tão ingrata com a gente? Você sempre foi uma menina tão boazinha conosco. O que está acontecendo? Você quis namorar, nós deixamos. Você não quis mais estudar na Europa, nós deixamos... e é desse jeito que nos agradece?

– Eu nunca pedi nada disso. Só queria mais respeito pelos meus sentimentos, caralho!

– Olha o jeito como fala com sua mãe, menina! – Manfred, jogado na poltrona, tentava controlar a discussão para que elas não voltassem ao bate-boca de antes.

Suzane, já de pé, ignorou o pedido do pai; estava disposta a levar a conversa ao extremo:

– Eu só quero levar minha vida como eu desejo, entenderam?

– Você acha que tem idade para decidir o que é melhor para você? Você é uma criança; uma criança inocente que não consegue ver as coisas ruins que estão ao seu redor e que podem te prejudicar.

Daniel recebeu o último comentário de Marísia como uma referência à sua presença na vida da família. Ofendido, fez menção de sair do lugar, decidido a abandonar a todos. A namorada interrompeu-lhe o impulso de fuga, segurando-o pelo braço.

– Eu sei o que é bom pra mim, porra! Sei que não quero ter uma vida de merda como essa que vocês têm... de mentira... de... de hipocrisia...

– Cala a boca! Você não sabe do que está falando. Como sobreviveria sem nós?

– Qualquer jeito de viver é melhor sem o dinheiro sujo que o papai ganha fazendo caixa dois para o governo! Tudo isso aqui é dinheiro de roubo... e vocês se orgulham disso!

– Suzane! Cala essa boca senão eu te mato! – Manfred quis pôr um fim na cena entre as mulheres, levantando-se e indo na direção da filha para reforçar a retórica. – Respeite sua mãe. Ela te ama, e eu também.

– Respeito? O que vocês entendem de respeito e amor? Vocês nem transam mais... a mamãe não te ama, e você tem várias amantes! É esse o exemplo que querem dar aos netos?

Uma vida de mentiras! Eu não quero acabar velha e sozinha como vocês são, caralho!

Aquilo foi o limite o temperamento de Manfred. Ele se abaixou junto aos pés da esposa e tomou-lhe o tamanco. Sem dizer uma palavra, segurou a filha pelos longos cabelos loiros e passou a bater-lhe no rosto delicado com o calçado de madeira.

O primeiro golpe foi certeiro na maçã do rosto da menina, imprimindo o solado rígido no orgulho de Suzane. Suas bochechas enrubesceram imediatamente. Ela caiu de joelhos e ficou pendurada pelos cabelos, que o pai segurava com força.

A garota não teve tempo de avaliar a dimensão da dor. Colocou os braços para o alto na esperança de interromper as pancadas que Manfred lhe infligia com insistência. A cabeça, muito exposta, tornou-se o principal alvo do pai quando não pôde mais acertar a face de Suzane.

Como um cachorro impedido de fugir por estar preso à coleira, Suzane clamava por perdão entre gritos de dor. Tentava se levantar, acompanhando os puxões do pai. Tanto barulho deixou Daniel imóvel no sofá.

Quando perdeu as forças, Suzane finalmente desmoronou. O estrondo da queda encorajou Daniel a agir para fazer cessar o corretivo de Manfred. Porém, não foi necessária sua interferência.

O pai recuou quando notou a figura de Daniel avançar na direção dele. Soltou os cabelos de Suzane, que acabou por deitar-se abandonada na poça de choro. O namorado a confortou, oferecendo-lhe o ombro. Juntos ali, abraçados no chão, pareciam uma só tristeza.

Manfred estava exausto. Respirava com força e limpava o suor salgado que lhe escorria nos olhos. O rosto, tão vermelho quanto o da filha, demonstrava que acabara de sair de um esforço físico a que não estava acostumado.

Suzane lançou para o pai um olhar de medo, deixando entrever o fio de sangue que lhe saía do nariz.

Marísia, tão assustada quanto os demais, retirou-se em silêncio para o quarto, seguida por Manfred.

Deitados na cama, podiam ouvir os soluços de Suzane cada vez mais distantes. Os jovens se afastaram, e os pais já não podiam mais ouvir as palavras de ódio da filha.

Quem são as vítimas?

As viaturas da Polícia Militar estavam de prontidão em frente à casa dos Richthofen. A rua longa era o endereço de poucas e imensas casas, guardadas por muros altos.

No passeio público, pouco se podia saber sobre as pessoas que ocupavam aquelas residências.

Embora a estranha presença dos carros com luzes Piscantes sobre o capô e o som da frequência do rádio da Polícia rasgassem a tranquilidade da noite, nenhum vizinho se atreveu a ceder à curiosidade e abandonar a privacidade de seu lar para tentar descobrir o que acontecia ao lado.

O que ocorria fora do portão não interessava à intimidade de suas vidas. Para seus moradores, o limite do sigilo entre esses dois mundos era a linha traçada na planta do imóvel. Ou, quando saíam para a rua em seus carros, o começo e o fim eram até onde a lataria do veículo alcançava.

Só quando estavam a pé, cercados por todos os outros, o véu da reserva se fazia diáfano. Experiências coletivas não permitiam traçar limites para as diferenças.

À sombra noturna de imensas árvores, policiais fumavam ou esfregavam as mãos para espantar o frio, ignorando a chegada do delegado. Do pequeno rumor de homens fardados, Rodrigo ouviu à distância, cochichos e risadas; algo entre os comentários de uma revolta armada dos militares por causa da recente eleição do presidente Lula e a quantidade de sangue em que os cadáveres estavam ensopados sobre a cama.

Eduardo notou um Pálio estacionado do outro lado da rua e, dentro dele, três pessoas. Parou para tentar entender o que estariam fazendo ali, já que a tropa tratava aquela presença com naturalidade.

– São os filhos do casal morto – disse o PM que os acompanhava ao perceber os olhares. O delegado Rubens, apressado, ordenou ao investigador Rodrigo que fosse até o veículo para coletar os dados pessoais de seus ocupantes, enquanto ele e Eduardo iam até os corpos.

– Vamos acabar logo com isso e fazer esse BO com cuidado. Deus e o mundo vão querer tê-lo em mãos. – A pressa do delegado fazia sentido; logo o DHPP chegaria com a imprensa, e eles não teriam tempo de conversar com nenhuma testemunha.

Eduardo não trazia papéis nas mãos. Não poderia entrar na casa sem anotar o que veria lá. Procurou nos bolsos e ficou aborrecido por não ter trazido nem uma folha de sulfite.

Nada além da carteira, dois maços de cigarro (aberto e fechado) e o isqueiro Zippo.

Poderia pedir a prancheta do delegado, mas isso delataria sua falta de atenção.

– Doutor, se o DHPP chegar na casa antes de nós, não conseguiremos anotar mais nada. Não seria melhor o Rodrigo nos acompanhar para fazer o BO? – As palavras foram precisas para convencer o delegado.

Um muro alto de tijolo à vista era completado por um portão de metal grosso em toda a extensão frontal da residência. Eduardo olhava para o alto da construção, procurando locais que poderiam permitir escaladas, mas a pressa do delegado para ver os corpos o fez acompanhá-lo.

Logo na entrada, um caminho de pedras dividido por um canteiro central terminava numa garagem bem mais adiante, aos fundos. Puderam ver à direita a grande piscina com água suja, cujas bordas chegavam a poucos metros da porta da casa. Por estarem tão próximos, as luzes do interior do imóvel derramavam-se de modo disforme sobre a superfície líquida e imunda. Coqueiros circundavam a extensão do lugar, plantados num gramado verde. Rubens perguntou ao PM se o local fora preservado:

– Os moradores entraram primeiro e nos disseram que mexeram em alguma coisa. Nunca dá pra garantir.

A opulenta porta de madeira nobre logo na entrada chamou a atenção dos policiais. Os desenhos cinzelados em alto-relevo serviam de moldura para o brasão que anunciava uma família orgulhosa de sua origem. Ninguém até aquele momento soubera decifrar a frase transcrita no emblema.

Entre alemão e latim, a única certeza que tinham era da data que trazia: 1561.

O silêncio no interior do imóvel contrastava com o ruído das viaturas na rua.

Enquanto os investigadores seguiam para o interior da casa sob as instruções do policial militar, Eduardo pensou que a fechadura dourada da porta estava intacta, sem sinais de arrombamento.

Cogitou a possibilidade de recolher amostras de impressões digitais da maçaneta, ideia de pronto rejeitada, já que muita gente, além dos assassinos, devia ter colocado a mão ali. Um problema para os peritos se preocuparem.

O delegado pediu rapidez no trabalho, o que fez Eduardo jogar fora o cigarro pela metade antes de entrar na sala.

Do lado de dentro, o gosto pela madeira cara era visível. O chão da sala, revestido de ripas lisas e sólidas, ainda exalava cheiro de verniz. O vermelho do assoalho era idêntico ao do madeiramento do teto, dando ao lugar um aspecto de caixa, como se quisessem perpetuar o conforto de uma manhã de Natal.

As cores das paredes de cimento prolongavam o tema da paleta lenhosa, bruscamente interrompida pelas pedras da coluna de sustentação do mezanino.

Sob o vão, uma lareira apagada com as brasas ainda quentes pareciam dizer que fora bem aproveitada durante a noite. À frente, uma escada metálica subia em caracol e terminava no começo de um jardim externo.

Da sala do andar de cima, podiam ver o céu através da porta de vidro do jardim.

Eduardo reparou que já eram quase cinco horas da manhã. A linha de luz laranja traçada no horizonte começava a engolir o preto da noite.

Rubens olhou as horas no relógio; mordeu os lábios com visível tormento ao dar-se conta de que o trabalho se estenderia por toda a manhã, e não poderia participar da prova.

Outro policial militar que os aguardava no interior da casa veio recebê-los. Saudou com uma continência o delegado, que por sua vez lhe ofereceu um aperto de mão.

Eduardo parou por um instante e observou o entorno. Ia perguntar ao policial se ele tinha sido o primeiro a ver os corpos, mas foi interrompido pela conversa do delegado Rubens com o PM:

– Como está?

– Tá foda, doutor. Parece que foram mortos a pauladas.

– Perguntei como você está.

– Ah, eu estou bem. Os dois coroas lá em cima é que não tiveram uma noite tranquila – e apontou para a escada no final do corredor.

Rubens, seguindo as orientações do PM, caminhou em direção aos degraus sem perceber que tinha deixado para trás Rodrigo, que observava os enfeites da casa, e Eduardo, desaparecido em algum lugar.

Depois de percorrer o primeiro lance de escada, o delegado se virou para chamar o velho investigador:

– Estou indo, doutor – o delegado ouviu a resposta de Eduardo vindo do interior do escritório –, o senhor precisa ver isso aqui. A parte de baixo da casa tá toda revirada e a janela do escritório tá aberta.

– Que beleza. O DHPP vai adorar isso. Vem. Quero terminar essa porra antes que eles cheguem.

Ao atravessar a sala, Eduardo encontrou Rodrigo distraído olhando os objetos de uma estante em forma de roda de carroça. Foi preciso cutucar-lhe o braço para fazê-lo ouvir:

– Vamos embora, menino. O delegado está esperando.

– Edu, olha isso aqui – com a caneta, Rodrigo apontou para alguns porta-retratos enfileirados, todos com a mesma moldura de metal branco e de tamanhos idênticos, formando um padrão rigoroso na decoração do móvel.

Em vários deles, Eduardo viu a moça loira que estava no carro lá fora, sempre sorrindo, trazendo um semblante feliz na pele clara. Havia fotos em que estava com um garoto mais novo, atolados em neve típica de cenários europeus. Noutras, esbanjava seu gosto por biquínis com temas floridos em alguma praia tropical. Numa foto, apenas uma mulher magra e de cabelos escuros, aparentemente descontente por saber que sua figura seria eternizada naquele instante.

No centro da estante circular, uma prateleira dedicada a um homem ruivo, provavelmente o dono da casa, ora morto.

Eduardo jurava ter reconhecido as pessoas que o abraçavam em vários retratos: senadores, deputados, secretários de estado – homens altivos e de perfil elevado, que encaravam o fotógrafo com um orgulho arrogante. Apesar da formalidade daqueles encontros, era impossível não reconhecê-los.

O porta-retratos do centro chamou a atenção de Eduardo. A única foto em que o ruivo estava de camiseta e calça jeans com um copo de cerveja na mão. A churrasqueira ao fundo lembrava a arquitetura da casa onde se encontravam, o instante de um pai de família celebrando seu lar.

Tudo seria muito normal, se o homem que o abraçava na fotografia com a alegria de amigo não fosse o próprio governador do estado, confirmando uma intimidade.

– O cara é fodão, Edu. – Não era necessário o comentário de Rodrigo para terem a dimensão da importância da vítima.

– Eduardo! – O delegado mostrava sua pressa chamando pela presença de seus policiais do alto da escada. Resignados, os investigadores deixaram as especulações políticas de lado e subiram para o quarto. Ao vencerem os degraus, ouviram a voz do delegado Rubens conversando com o policial militar no quarto à direita. Eduardo se aproximou primeiro.

Pôde ver, emoldurada pela porta, a cama onde, sobre um lençol azul, jazia o corpo de um homem com a barriga para cima e as pernas cruzadas, vestindo pijama de malha cinza.

O braço, tingido pelo vermelho do sangue, pendia para fora, apontando para um revólver jogado ao chão. Um pano grosso fora colocado sobre sua cabeça.

Eduardo avançou para notar que o pano era uma toalha úmida. A parte da cama onde descansavam os ombros estava encharcada. Não pôde determinar se tudo aquilo era mesmo sangue, pois estranhou a densidade do líquido.

As manchas do travesseiro aumentaram as dúvidas. Nas extremidades, a cor se diluía, e em nada parecia a conhecida espessura rubra.

Ao lado, formando um volume sob o cobertor, escondia-se o corpo da segunda vítima.

– Já sabem quem são as vítimas? – Ninguém notara a presença de Rodrigo no ambiente antes que ele fizesse essa pergunta. De pé, atrás de todos, a meio caminho da saída, o único que vestia luvas de borracha e trazia a prancheta nas mãos. Eduardo estava pronto para rir da ingenuidade da pergunta, mas censurou a própria crueldade a tempo de não manifestá-la.

O delegado Rubens não foi tão condescendente e deixou um breve sorriso escapar no canto da boca.

Já o policial militar viu na oportunidade uma ocasião para fazer a irresistível troça:

– Acho que são esses dois que estão aí deitados.

Sobre a toalha de sangue

O barulho de sapatos caminhando pela madeira do assoalho no andar de baixo chamou a atenção dos policiais que observavam o corpo do homem de pernas cruzadas na cama. Por um instante, abandonaram o cadáver e voltaram-se para a porta, aguardando a chegada daqueles que pisavam firme.

Ao chegarem ao quarto, um homem gordo, de barba espessa e com uma barriga que fazia o terno arredondar-se ao longo da silhueta, trazia consigo três outros, mais jovens e mais informais, todos com pranchetas na mão.

– Bom dia, doutor. Sou o delegado Joaquim, do DHPP. Fiquem à vontade para fazer o serviço de vocês, só vamos tirar algumas fotos, fazer nosso BO e ir embora. Alguém mexeu na arma ali no chão?

Os policiais que o acompanhavam distribuíram-se pelo quarto. Olharam a janela, o chão, debaixo da cama. Rodrigo, atento, chegou a perguntar-se por que não tivera aquela mesma ideia. Estava decidido que na tarde daquele dia iria comprar uma lanterna tática, como aquelas que os investigadores do DHPP traziam.

– Ninguém da minha equipe colocou a mão em nada. – Rubens tentou ser simpático e sorriu abertamente pela primeira vez naquela noite. – A casa é grande. Ainda não fomos aos fundos.

– Se o senhor quiser, pode ir lá agora.

– Depois que terminarmos aqui, e se eu achar conveniente... – A resposta foi dura. Até o PM entendeu o recado que Rubens quis dar aos policiais do Departamento de Homicídios. Quando se deu conta de que deixara transparecer um princípio de descontentamento, tentou remediar: – ... Quem sabe encontramos algumas cervejas por lá.

Para confirmar que não havia sinais de rancor, fez sua risada acompanhar-se de amigáveis tapinhas nas costas do delegado.

Os investigadores recém-chegados ao quarto pediram que todos se afastassem. Queriam registrar o lugar numa fotografia ampla, tomada da entrada do recinto. Começaram a dirigir os movimentos dos que estavam presentes para forjar a solidão dos mortos, como se o casal estivesse abandonado na cama, sozinho no lugar.

Depois de fotografarem o detalhe da arma no chão, alguém avisou:

– Vamos retirar a toalha dele.

Rodrigo esperava esse comando. A face do cadáver afundada no corpo quase não se diferenciava do pescoço. Só sabiam o limite dos membros por causa da barba.

No topo da cabeça, onde se iniciava a calva, uma grossa mancha de um vermelho intenso percorria a testa, descia pela nuca confundindo-se com os cabelos e percorria alguns centímetros atrás da orelha como uma máscara mórbida.

De maneira estranha, não havia sujeira de sangue na pele branca do rosto. Ao ver a cena, Eduardo confirmou sua ideia de que o morto fora limpo com água.

Os olhos ainda entreabertos pareciam observar a movimentação das pessoas ao seu redor. Talvez tenham visto o rosto do assassino antes de morrer. O queixo, visivelmente fraturado, caía para o lado direito, deixando os dentes à mostra. O policial com a câmera na mão aproximou-se para registrar a figura deformada.

– Tem uma pancada forte do lado direito. Olha só como o sangue escorregou. Nariz quebrado, afundamento da testa – disse o investigador, guardando a câmera no bolso da jaqueta.

– Anote aí, Marquinhos – orientou o delegado do DHPP, descansando os braços sobre a saliente barriga. – Múltiplos ferimentos contusos na região frontal. E... incisivo na região anterior do pescoço. Marca de formato circular emergindo aproximadamente catorze milímetros na região zigomática direita; ferimento corto-contuso na região parietal direita.

– A mulher está pior – disse o policial militar, ignorado pelos outros policiais, exceto por Eduardo. Ao perceber que o investigador lhe dera atenção, começou o relato em voz alta para quem quisesse ouvir:

– Quem nos chamou foram os filhos do casal. A moça se chama Suzane, de dezenove anos, e o irmão é o Andreas, de quinze. A menina disse que essa madrugada saiu com o irmão e voltaram por volta das quatro da manhã. As portas estavam trancadas, e quando entraram na casa viram as luzes acesas. Não tiveram coragem de subir para ver se os pais estavam bem. Ela então ligou para o namorado, Daniel, e ficaram lá fora nos esperando. Entramos e fomos para a biblioteca, estava tudo bagunçado e jogado no chão. No escritório tem uma maleta arrombada onde a família guardava dinheiro.

– Vazia?

– Sim. A menina disse que havia um dinheiro lá. Quando chegamos aqui no quarto encontramos os corpos e a arma aí ao lado. Descemos e avisamos os filhos sobre as mortes.

– Eles conhecem a arma? – A pergunta de Rubens fez os investigadores do DHPP interromperem seus trabalhos para ouvirem a resposta.

– Disseram que o pai tinha uma arma que ficava guardada num fundo falso deste armário. Mas, como não vieram aqui, não souberam dizer se é a mesma.

– Família rica, né? – quis saber Rodrigo.

– O ruivo aí se chama Manfred. É alemão. Engenheiro, trabalha no DERSA. Quer dizer, trabalhava.

– DERSA? – Rodrigo desistira de acompanhar o trabalho dos investigadores do DHPP. A descrição do policial militar era mais atraente que a burocracia dos mortos.

– O Departamento de Estradas e Rodagem do Estado. – Eduardo quis acender um cigarro quando ouviu isso, mas achou que o local não era adequado. Só pôde virar a cabeça bruscamente para o lado para ouvir seu pescoço estralar. O delegado do DHPP interrompeu a narrativa do PM:

– Marquinhos, me faz uma fineza e descobre a mulher. Vamos vê-la, doutor?

Ao remover o cobertor, encontraram-na deitada de lado, virada para fora da cama. As manchas de sangue pelo corpo eram mais aparentes que as encontradas no marido. Em comum, o saco preto sobre a cabeça.

Os antebraços tinham estrias roxas que seguiam até as mãos, conduzindo o olhar dos policiais para a fratura nos dedos da mão direita.

– Ela tentou se defender das pauladas. Quanta raiva.

– Gente sem Cristo. – O PM se abençoou numa oração solitária.

Retirado o saco plástico da cabeça, encontraram uma toalha ensanguentada. Uma das pontas estava enfiada em sua boca, inflando a bochechas com a quase metade do tecido. O investigador perguntou se poderia retirá-la do interior do cadáver para analisar melhor.

O delegado do DHPP perguntou a Rubens se ele via problemas no procedimento. Com a concordância dos dois, puxou-se devagar a toalha. Rodrigo ficou intrigado com o volume de pano que viu sair da boca da mulher.

Saco plástico e toalha colocados ao lado da cabeça, puderam ver que nela os ferimentos eram mais profundos.

Eduardo não conseguiu identificar no cadáver a mulher que viu incomodada na fotografia do andar de baixo. Seus olhos estavam fechados por causa do inchaço das órbitas provocado pelas pancadas. Os ferimentos davam ideia da dor que poderia ter sentido no momento da agressão.

– Doutor, vou apreender a arma, dar uma andada pela casa e ver se encontro algo estranho por aí. – O delegado do DHPP conversava com Rubens, mas mantinha os olhos no trabalho dos policiais sobre o casal na cama.

– Nós estamos indo embora. Já fizemos o que precisávamos, e ainda preciso entregar o plantão para a equipe que vai entrar agora. Só vou conversar com os filhos do casal lá fora antes de partir. Pegou todas as informações de que precisava, Rodrigo?

O investigador, distraído com os cadáveres, quase não ouviu a pergunta. Olhou para a prancheta e percebeu que não sabia por onde começar a história que contaria no boletim de ocorrência.

Tinha anotado informações soltas, desconexas, nada que ensejasse um enlace dos eventos. Apesar do estado físico do ruivo e da mulher estar minuciosamente descrito no papel, faltava ainda o elo narrativo que uniria o motivo da presença dos policiais naquela casa e os defuntos estendidos na cama.

Deveria relatar apenas a chegada ao local do crime, a condição do cenário e objetos de interesse para a investigação. Mas seu discurso não poderia vincular-se à frieza de uma planilha de cálculo.

Dada a importância da ocorrência, sabia que a imprensa e os superiores iriam ler suas palavras com atenção redobrada. Sua obra seria julgada com severidade acadêmica, então deveria encadear os fatos de forma clara, atraente, sem deixar margem para crítica dos curiosos.

— Doutor, infelizmente, antes de entrar na casa eu orientei o meu pessoal para que conduzisse os filhos e o namorado para o DHPP. — Rodrigo sentiu-se aliviado com a intromissão do delegado. Não precisaria mais responder à pergunta de Rubens. — O senhor sabe que a imprensa vai querer esse crime resolvido rapidamente. Então não podemos perder tempo para colher o depoimento deles.

— Sem problema — respondeu Rubens. E dirigindo-se à sua equipe: — Rodrigo, depois você pega a qualificação do pessoal. O ruivo era engenheiro do DERSA. Talvez a cobrança sobre o caso venha da Secretaria de Segurança Pública. Edu, vamos embora.

Rubens apertou a mão de seu companheiro de profissão, acenou para os investigadores e rumou para a porta, seguido por seus subordinados.

— O DERSA tem mais de quinhentos engenheiros como este — respondeu o delegado do DHHP enquanto retribuía o aperto de mão —, um a mais ou a menos não é motivo para pressão.

Ao descerem as escadas, o PM gritou do quarto se não gostariam de ficar com uma cópia do boletim de ocorrência que ele tinha feito. Rubens olhou para trás sem interromper a caminhada até a porta de saída da casa e, em rápidas palavras, ordenou a Rodrigo que copiasse os dados pessoais dos mortos e dos filhos. O investigador obedeceu, prendendo o documento em sua prancheta.

Enquanto descia sozinho a escada, olhou para as informações que o PM coletara e ficou feliz com o que encontrou. Apesar de muito técnico, o começo da narrativa do policial militar era exatamente o que procurava para iniciar a sua.

Na sala, encontrou Eduardo parado, já com outro cigarro aceso na boca, observando as fotografias da estante de roda de carroça:

— Rodrigo, cadê o porta-retratos que estava ali no meio?

– Não vi, Edu. Para mim, estão todos aí.

– Está faltando a foto com o governador.

Rodrigo olhou com atenção para a estante, mas não se lembrava do retrato que Eduardo estava mencionando. Tinha notado muitos outros com deputados e senadores. Se tivesse visto ali uma foto do morto com o governador, certamente se lembraria com facilidade.

E, para ele, os objetos estavam perfeitamente alinhados, não pareciam ter sido mexidos. Não havia sequer espaço vazio na prateleira indicando que algum dos porta-retratos teria sido subtraído dali. Poderia ser um engano do velho investigador.

De qualquer forma, era uma informação que julgou desinteressante para constar de seu boletim de ocorrência. Avisou ao colega que o encontraria na viatura, junto com o delegado.

Eduardo não tinha dúvida de que a fotografia com o governador tinha sido retirada da estante enquanto estavam no quarto. A figura bonachona da autoridade era de fácil memorização. A armação dos óculos, a calvície... só poderia ser ele.

– Ô, Edu. Deixa eu te contar uma coisa que sei que vai gostar. – O PM desceu para conversar com o investigador. – Quando eu contei pros filhos dos presuntos lá em cima que os pais deles estavam mortos, ninguém chorou.

– Ninguém?

– Nada. Só depois de uma meia hora é que a moça ameaçou derramar lágrimas, mas de um jeito assim bem chocho, sabe? E o mais novo não disse nada. Ficou caladão, comentando baixinho com a irmã e o cunhado. Isso é reação de filhos que tiveram os pais mortos a cacetadas?

– Já contou isso pros polícia do DHPP?

– Quero que esse pessoal se foda. – O policial militar olhou para cima, diminuindo o volume da voz. – Se são tão bons, que descubram sozinhos.

O PM queria retribuir as refeições e os bicos que Eduardo sempre lhe conseguia. A amizade de trabalho, apesar de antiga, não era tão forte a ponto de conhecerem a vida pessoal um do outro. O investigador não o conhecia sem a farda, e muitas vezes era preciso que o policial militar, quando à paisana nas horas de folga, se identificasse para ser reconhecido.

Eduardo brincava que o semblante de PM também mudava quando eles tiravam o uniforme, por isso ficavam tão estranhos à paisana.

– Viu o quarto do garoto, Edu?

– Só de relance.

– Tem uma montanha de travesseiros embaixo do cobertor. Lembra do filme *Curtindo a vida adoidado*? Pois é. A mesma coisa. Alguém montou aquilo para fingir que dormia.

– O garoto fez isso?

– Eu lá vou saber? O tira aqui é você. Se quiser que eu faça seu serviço, deixa seu salário comigo.

Eduardo riu e agradeceu a informação. Disse que a investigação não seria feita pelo distrito policial, mas pelo Departamento de Homicídios. Despediram-se com um abraço.

Na saída, o sol já apontava no horizonte. Enquanto caminhava para o portão, encontrou um homem grisalho, de óculos combinando com o terno e maleta de couro na mão, indo na direção da casa. Quis perguntar quem era e o que fazia ali, mas a pressa de ambos o impediu. O homem, apesar de quase trombar com Eduardo, não o cumprimentou, nem mesmo o olhou nos olhos.

Estava tão firme em seu propósito de entrar que convenceu Eduardo a não interrompê-lo.

A aglomeração de pessoas no portão tinha aumentado enquanto estavam no interior da casa. A imprensa com suas câmeras e mais policiais com suas viaturas. Foi preciso pedir licença ao policial militar responsável pela fiscalização da entrada.

Ao abrir a porta do carro, encontrou Rubens de mau humor.

– Caralho! Perdi a prova. Que merda!

– Doutor, quem era o figura de terno e maleta que entrou agora na casa? – perguntou Eduardo, enquanto tomava seu lugar no banco do motorista do carro.

– Um advogado do DERSA. Ele quer acompanhar as investigações.

– E desde quando órgão público acompanha investigação de homicídio de seus funcionários?

– Eu sei lá, Edu. Toca essa porra pra delegacia. Quero acabar logo essa merda de BO, entregá-lo para o titular e sumir desse DP. Perdi mais um concurso. Às vezes dá vontade de me enfiar de vez nessa merda de Polícia, tá sabendo? Acabar com essa história de concurso e começar a ganhar dinheiro como gente grande faz.

– Quanto ganha um engenheiro do DERSA? – perguntou Rodrigo enquanto devolvia o revólver que Eduardo havia lhe emprestado.

Eduardo se lembrou de ter pagado quatro mil reais para um engenheiro aposentado quando precisou de um projeto para a ampliação do escritório.

A mesma quantia que um delegado com trinta anos de profissão recebia em seu contracheque.

– O suficiente para morrer a pauladas.

A MÃO MOLE DO DELEGADO

Era quase meio-dia quando Eduardo acordou com a visão da toalha sendo retirada da boca do cadáver feminino de olhos inchados.

Verificou as horas no rádio-relógio sobre o armário e assustou-se quando percebeu que o som grave do grito da mulher ultrapassara os limites do sonho e reverberava no quarto onde dormia.

Antes de o pavor dominá-lo, sentiu-se envergonhado por confundir, no sonho, o ruído de trovão da garganta sendo esvaziada com o de um caminhão lá embaixo na rua. Deitara-se havia pouco menos de uma hora, por isso reclamou do incômodo motor diesel.

O corpo habituara-se ao descanso de poucas horas, o que não o impedia de estranhar a fadiga.

Levantou-se, convencido de que não conseguiria dormir pelo resto do dia. Pegou um cigarro no criado-mudo, sentou-se na cama e o acendeu.

Na cozinha, de cuecas, fazia café enquanto folheava o jornal. Comentava-se na imprensa o resultado da recente eleição presidencial; o chamado "risco Lula", dizia o comentarista, começava a mostrar sua face verdadeira.

Rumores ouvidos nos corredores de algum lugar afirmavam que bancos deixariam o país por receio do governo de esquerda que começava a instalar-se.

O caderno policial trazia com destaque a notícia do assassinato do casal: pessoas prósperas invadidas na incolumidade do lar. Uma ação desumana, típica de bandidos cruéis, dos quais a sociedade vem sendo vítima nos últimos anos.

Enquanto acendia o segundo cigarro, ligou para sua empresa:
– Rádiotáxi Expresso Bandeirante, bom dia.

– Bom dia, Sandra. Tudo certo por aí?

Apesar de não demonstrar à secretária, Eduardo sabia a sorte que teve ao encontrá-la. Com o patrão sempre ausente, era a funcionária quem conduzia os negócios de forma rigorosa, como se pertencessem a ela própria. Era também ela quem comprava as roupas de Eduardo, bem como providenciava a limpeza do apartamento dele.

Julgava-a uma mulher honesta e solteira, que reclamava da pouca dignidade dos homens de hoje. Seu corpo desalinhado não era de todo feio, mas, na opinião de Eduardo, o conjunto não se harmonizava. Nutria um apreço sincero pela pequena mulher de olhos negros.

– Oi, seu Edu. – Ao ouvir a voz do patrão do outro lado da linha, mudou o tom de voz para parecer mais agradável. – Sim, todos os carros estão normais. O escritório Pereira Filho pediu um prazo para o pagamento deste mês, tudo bem?

– De novo? Quanto tempo?

– Quinze dias.

– Diga que só daremos cinco. E suspenda os serviços para eles até o pagamento.

– OK. Foi o senhor que atendeu o assassinato daquela família no Campo Belo?

– Foi. Peça para o Luís me ligar assim que puder.

– Claro, peço sim. Tenho certeza de que o senhor vai resolver esse crime. Que barbaridade! Por que não roubam e vão embora? Pessoas tão boas, né?

Um resmungo indefinido foi a resposta do investigador. A secretária entendeu o recado e voltou ao relato sobre a contabilidade dos táxis.

Quanto aos rapazes que faziam entrega em motos, disse que não haviam tido nenhum incidente naquela semana graças à responsabilidade dos novos motoboys que havia contratado.

Despediu-se da secretária, terminou a xícara de café e foi para o banho.

O assunto do homicídio estava encerrado para o distrito policial. O DHPP seria o responsável pelos trabalhos e logo descobriria algum criminoso para abraçar a bronca.

Havia coisas mais importantes com que se preocupar, como cuidar do plantão e fazer que seus funcionários não atrasassem os serviços contratados pela empresa.

O caso era de roubo seguido de morte, como tantos outros registrados diariamente na cidade.

Depois de fechar as cortinas da sala, jogou-se no sofá, onde pretendia continuar descansando o corpo relaxado pela água quente do chuveiro.

Ligou a TV e abaixou o volume, apenas para ouvir a voz doce da apresentadora do telejornal. Tinha a esperança de que ela continuasse a sussurrar-lhe palavras sujas num provável sonho. Mas, antes de sucumbir de todo ao cansaço, o brado desarticulado do cadáver retornou, mas dessa vez sem maior espanto, pois Eduardo logo se certificou de que o som vinha de outro caminhão que trafegava na rua.

Ao olhar os peitos volumosos da apresentadora, rendeu alguns segundos de atenção ao que ela dizia:

> *O PFL, tradicional partido de apoio do governo federal, está num estado letárgico. Com a devassa da Polícia Federal no escritório de sua candidata à presidência, Roseana Sarney, a esperança de concorrer às eleições com candidato próprio despedaçou-se. Fontes dizem que o delegado responsável pela operação nas empresas de Roseana enviou um fax para o presidente da República comentando o sucesso da operação, o que fez o PFL acreditar que a*

ação da polícia foi encomendada pelo próprio presidente, a quem o partido sempre apoiou. De qualquer forma, a saída de Roseana do cenário político abriu as portas para Serra, o candidato da situação. E agora, com a vitória de Lula, o PFL perdeu seu lugar no governo. Resta a dúvida: ele saberá ser a oposição que nunca foi?

Uma mulher bonita comentando assuntos chatos como caixa dois para financiamento de campanhas políticas. Na certa, era solteira, ou então dava para algum figurão de Brasília. Enquanto se perdia em pensamentos que tentavam desnudar o colo da apresentadora, viu entrevistas com políticos derrotados.

Alguns deles o fizeram lembrar da noite passada; acreditava que seus rostos estavam nas fotos da estante em forma de roda de carroça.

Começava a duvidar da memória. Quando mais jovem, orgulhava-se de decorar placas de veículos sem precisar anotar. Números de RGs, boletins de ocorrências; nada lhe escapava, e não era preciso esforço. Agora confundia datas, nomes, e não sabia se os fatos haviam ocorrido ontem ou dez anos antes.

Não queria aceitar o fato de não lembrar se realmente tinha visto o retrato do governador junto aos outros; isso era um erro de amador, imperdoável para alguém com a experiência dele.

Por outro lado, o PSDB, partido do presidente, mantém a hegemonia de dez anos no estado de São Paulo. O governador Geraldo Alckmin venceu a disputa com 60% dos votos válidos e desponta como um dos prováveis nomes para confrontar Lula nas eleições de 2006. Apesar de negar esses rumores, Alckmin receberá o governador eleito de Minas, Aécio Neves, para um almoço no Palácio dos Ban-

deirantes que está sendo visto como uma busca de apoio interno no partido para suas intenções presidenciais.

O corpo esguio da repórter não condizia com sua seriedade, e isso perturbava a imaginação de Eduardo. Aprendeu que trabalhar com mulheres era pedir para assinar alguma bronca, ou para não trabalhar direito. A mulher, para tornar-se boa policial, acabava se masculinizando; então, se era para trabalhar com homem, que fosse um de verdade. A moça da TV, por exemplo, era séria demais para gozar.

Eduardo conseguiu irritar-se sozinho. A fome não o incomodava naquele momento, mas não havia nada de interessante a fazer.

Temeu que o desejo de esclarecer a história da fotografia que achou ter visto fosse seu único pensamento do dia. Mas nem mesmo Rodrigo, que compartilhou o espanto diante das fotos, confirmou que o retrato estivera lá. O que não era de espantar, pois distrações como essa eram esperadas de um calça-branca.

E, afinal, que mal havia em compartilhar a intimidade do governador? Ele mesmo, se lhe fosse possível, ostentaria a amizade com alvoroço.

Refez detalhadamente os passos que percorreu na noite anterior, desde a saída da viatura até o retorno ao carro, quando Rodrigo lhe devolveu a arma.

Portão, porta, PM. Sala, fotos, escada, quarto. Ruivo, saco preto, DHPP, mulher, toalha, garganta.

No delírio em que se viu dentro de um churrasco, onde ele servia cerveja ao governador e ambos riam de piadas tolas, sentiu-se feliz. Seria respeitado, e nenhum delegado jamais poderia removê-lo do distrito em que estava. Até os policiais invejosos calariam a inveja diante de tamanha proteção.

Iriam procurá-lo para pedir favores ou ofertar vantagens inimagináveis. Ao que mediu, só teria benefícios com aquela relação. A quem, portanto, interessaria negá-la?

Quando se deu conta, eram duas horas da tarde, e ele estava descendo do carro no estacionamento do 27º DP. Ao avistá-lo, os investigadores que atendiam ao público no plantão estranharam a presença do colega:

– Porra, Edu. Tu não tem vida, não?

– Tirando o cigarro, essa merda é o único prazer que tenho na vida. Quero conversar com o titular sobre o homicídio de ontem.

– Então chegou tarde. O titular tomou um bonde hoje de manhã para o outro lado da cidade. A chefia toda mudou. O novo delegado já está aí, um tal de Norberto. E trouxe uns tiras junto com ele. Parece que vão mudar tudo, até o pessoal do plantão.

Eduardo ficou atônito com a notícia inesperada. Nos últimos meses não notara nada que desse motivo para a transferência do antigo chefe do distrito.

Muitas pessoas estranhas subiam a escada para o cartório. O volume da camiseta na linha da cintura deixava evidente que se tratava de gente armada; poderiam ser policiais ou gansos. Naquele momento era impossível saber a origem dos novos homens que apareceram para trabalhar em nome da segurança pública.

– Querem trocar os tiras do plantão?

– É o que o novo chefe dos investigadores disse. Já avisou ao pessoal para irmos procurar emprego em outros DPs antes que ele mesmo determine para onde vamos ser removidos. – O investigador aproximou-se de Eduardo e, em voz baixa, confidenciou: – Vieram chutados do DEIC, meu amigo. Da Roubo a Bancos. Aprontaram alguma merda por lá e, como castigo, caíram na vala comum dos distritos para atender ao público. Tão com sangue no *zoio* de raiva. Imagina a grana que vão perder vindo pra cá.

Os rumores em torno das ações do novo delegado titular era algo que quebrava a rotina da delegacia. Esperava-se que a nova equipe colocasse no ambiente pessoas de absoluta confiança, para evitar que perdessem dinheiro com investigações conduzidas por policiais estranhos.

– Doutor Norberto, conhece? Quer saber mais? – O tira colocou as mãos em concha em volta da boca e sussurrou para só Eduardo ouvir: – Tão dizendo que ele é veado. Um chegado meu do DEIC garantiu que a figura faz jus à fama. – E riu sem medo de alguém notar as gargalhadas.

Eduardo não se lembrava de nenhum Norberto na delegacia de Roubo a Bancos. Mas era provável que o delegado já tivesse ouvido falar de Eduardo. Por isso, o tira estava preparado para a ameaça de sua transferência. A intimidação não lhe era novidade. Equipes que assumiram o DP em outras épocas também haviam tentado o mesmo. A mesma rotina.

Muitos que compartilharam da companhia de Eduardo no plantão notaram a facilidade com que ele soltava uma grana fácil aos superiores para permanecer ali da maneira como bem queria.

Por causa de tanta liberalidade, não eram raros os convites para trabalhar em lugares que qualquer policial pagaria uma fortuna para estar.

A fama de abonado do velho investigador já havia batido à porta dos departamentos havia tempos, e todos que ali apareciam para expulsá-lo tinham seu preço. Bastava saber qual.

– Com licença, doutor Norberto. – O velho era corcunda, do tipo que olha por cima dos óculos. – Sou o Eduardo, tira do plantão. Bem-vindo.

– Obrigado. Entre, Eduardo. Em que posso ajudá-lo?

– Doutor, sei que pretendem reformular a equipe do plantão. O chefe dos tiras já nos comunicou que poderá haver algumas remoções. – Sentou na cadeira em frente à mesa forrada de papéis esparramados, como deveria ser a de um homem ocupado.

– Bem, sabe que isso é normal, Eduardo. Eu trouxe meu pessoal do DEIC, porque quero ter ao meu lado pessoas de minha confiança. Não que você não seja digno de estar aqui, mas...

Eduardo se desconcentrou ao acompanhar o balanço cadenciado de cabeça do delegado, que escandia as palavras com intervalos intermináveis.

– Talvez o novo pessoal queira algumas informações sobre o homicídio do casal de ontem à noite.

– Pra quê? Isso é assunto da Homicídios. Não nos interessa mais – respondeu o delegado, retornando o olhar para uma revista em cima da mesa. O topo de sua cabeça, agora voltado para o investigador, revelava manchas escuras sob os ralos fios de cabelo que iam de uma orelha a outra.

– Bem, nada melhor que dar o chapéu numa especializada. O senhor está chegando agora; estou nesse distrito há muito tempo, conheço tudo o que se passa no bairro. Aliás, já levantei alguma coisa. Tenho certeza de que conseguimos o trampo antes do DHPP.

– Isso não é mais assunto nosso. – O delegado não demonstrava esforço para disfarçar sua indiferença.

Eduardo percebeu a fragilidade de sua argumentação. O homem sabia o motivo de ele estar ali, e aquela conversa mole do delegado estava cansando o investigador. Coisa que Eduardo não aceitava era ser considerado um polícia de receber passa-moleques.

– Doutor, se me permite, eu tenho meus negocinhos fora da polícia, e eles me ocupam muito. Amo isso aqui mais que à minha própria mãe. Na verdade, doutor, eu nem preciso do salário da Polícia. E também não tenho mais mãe, nem filho para cuidar.

– Eduardo – interrompeu o titular –, essa conversa é para você ter com o chefe dos tiras. Ele resolverá isso para você.

– Para cuidar das empresas, eu acabo pagando muitos colegas para trabalharem nos meus plantões, porque são raros os momentos em que posso estar aqui.

– Empresas? Fale com o chefe. – O delegado titular começava a mudar seu tom de voz.

Era evidente que ele não queria que o jogo fosse aberto ali, de forma tão clara. Eduardo sabia que devia respeitar a hierarquia dos distritos e acertar seus plantões com o chefe dos investigadores antes de incomodar o superior.

Cabia ao chefe dos tiras repassar o pedido ao delegado titular. Mas Eduardo era conhecido como maluco, e fez sua proposta como se descarregasse a arma.

– Não, doutor. O que pretendo só o senhor merece receber. Com todo o respeito ao chefe, mas quero colaborar com os esforços da sua chegada ao DP. Por isso vou doar a integralidade do meu salário de polícia ao senhor. Só quero que saiba disso.

– O quê?

– Sou primeira classe, quatro quinquênios. E o senhor não precisa se preocupar. Deixo a grana viva com o chefe dos tiras todo mês, e ele entrega ao senhor. Ou, se preferir, entrego pessoalmente ao senhor.

– Avise o chefe dos tiras, Eduardo. Mais alguma coisa?

– Seja bem-vindo ao 27º DP. – E apertou a mão do homem.

Dedos moles, sorriso torto, levantando apenas uma sobrancelha e deixando metade da boca apontando para o chão. Eduardo não teve dúvidas: o novo delegado titular era *gay*.

O horário do enterro

Ao chegar à casa de seus patrões e ter a notícia de que estavam mortos, Fátima deu-se por demitida. Em outra situação, o repentino desemprego a deixaria abalada. Mas o choque da violência do crime cometido contra Marísia e Manfred era maior que a falta de dinheiro que certamente ocorreria.

Não conseguiu entrar na casa. Foi parada ainda no portão por um policial militar, o mesmo que lhe contou sobre o estado dos corpos e também pediu que esperasse ali por alguns instantes.

Logo ela estava no prédio do Departamento de Homicídios, sentada sozinha numa sala. Queria ter ligado para o marido, mas os policiais haviam lhe tomado o telefone celular. É rotina da investigação, haviam dito a ela.

Quando se aproximou o meio-dia, a fome começava a provocar-lhe dores de cabeça. Às vezes alguém aparecia e começava um assunto aleatório, para logo depois perguntar sobre a rotina da família Richthofen. Queriam sempre os mesmos horários, os compromissos de cada um. Insistiam em saber sobre desavenças entre os familiares, uso de drogas, dinheiro pela casa. Fátima não tinha todas as respostas, ao menos não com a precisão que eles queriam. Trabalhava na casa havia tempo suficiente para decorar os modos daquelas pessoas, mas, por algum motivo, não conseguia lembrar-se de informações básicas sobre os gostos pessoais dos patrões. Em dado momento, esqueceu-se até do nome do filho mais novo. Os policiais não pareciam confiar no que ela dizia:

– Peraí, dona Fátima. O Manfred saía às seis ou às sete e meia para trabalhar?

– Como vou saber? Não fico reparando na vida dos outros.

Fátima temeu pelo que poderia acontecer-lhe. Para ela, a polícia já a tinha como suspeita, uma vez que a situação era bastante propícia a isso. Era a empregada pobre que conhecia a fundo a vida dos mortos.

As dúvidas sobre as verdadeiras intenções dos policiais se desfizeram em sua cabeça e deram razão ao medo que sentia quando uma mulher mais velha, de voz grave, entrou na sala.

Apresentou-se pelo nome e se identificou como escrivã; o cabelo mal tingido de vermelho não escondia a vulgar masculinidade de seus trejeitos, trazida nas roupas de malha grossa que escondiam o que poderia haver de mulher em seu corpo. As mãos firmes adornavam braços com músculos certamente trabalhados em academia. No esquerdo, uma tatuagem vazava pela manga da camiseta até quase o cotovelo.

Cumprimentou-a, perguntou se gostaria de ver fotos dos corpos no estado de barbárie em que se encontravam.

– Dona Fátima, com a morte da Marísia e do Manfred, a senhora vai ter que entrar na Justiça para receber o que lhe devem. – O conselho da policial era encorajador, mas causava estranheza tal assunto ter vindo à tona naquela situação tão incomum.

– Tenho um amigo que é advogado trabalhista. Gente boa, só cobra se ganharem a ação. Quer que eu peça para ele telefonar pra senhora?

Por mais desconfortável que Fátima estivesse se sentindo, a policial tinha razão. Os anos dedicados à família não poderiam ser ignorados.

– A senhora chegou a tocar nesse assunto com a Marísia?

Os Richthofen nunca comentaram sobre a regularização do trabalho de Fátima. Todo ano, tinha quinze dias de férias, ganhava o dobro do salário no mês de dezembro, o dinheiro do transporte até o trabalho, cesta básica.

Além disso, nunca lhe negaram um dia de folga para ir ao médico quando precisava cuidar da saúde. Davam-lhe roupas usadas, ovos de Páscoa e presentes no aniversário.

Comia da boa comida importada da Europa que nunca faltava na casa. Eram patrões generosos, de bom coração, como poucos.

Pensar em ganhar dinheiro agora, num momento tão delicado para a família, era um modo cruel e egoísta de aproveitar-se da situação. E, obviamente, a policial não poderia perceber a sensação de culpa que a tomava.

– Eu não quero dinheiro nenhum, moça. Só quero ir embora. – Tentou resistir à vontade de chorar, mas não conseguiu. A frase foi interrompida por incontroláveis soluços compassados.

Tinha formulado um pensamento inteiro para convencer a policial a deixá-la ir, mas só pôde derramar breves palavras entrecortadas pelo pavor.

– Me deixa ir embora, moça. Eu não matei a doutora Marísia.

– Quem disse que a senhora matou alguém? Eu disse isso? Olha pra mim! Eu disse que você matou alguém?

– Não, senhora, não disse.

– Então por que está se sentindo culpada por algo que não fez?

Fátima era só gemidos. Vencida pelo choro, já não se esforçava para impedi-lo de explodir em seu rosto.

Se, por um lado, tinha medo de que tal fraqueza a deixasse indefesa diante das acusações que estava sofrendo, por outro, o desespero foi a melhor maneira que encontrou para evitar aquele diálogo que lhe parecia tão perigoso.

A policial, num suspiro profundo, pendeu a cabeça para trás e tombou o peso do corpo no mesmo movimento. Aguardava Fátima recompor-se do pranto para continuar a conversa, mas antes que isso acontecesse a porta da sala se abriu e a figura de um homem gordo de terno claro chamou a atenção das duas mulheres.

– Dona Fátima, nós não vamos conversar com a senhora hoje, tudo bem? – A gentileza do homem tranquilizou a empregada dos Richthofen, mas Fátima não esboçou reação. Para garantir que se fizera entender, o homem enfatizou: – Lúcia, traga um copo de água para ela. A senhora quer que a levemos embora?

Fátima não estava convencida da bondade do homem, que certamente tinha alguma autoridade sobre a escrivã, pois ela trouxe o copo de água tão rapidamente que nem parecia a mesma mulher que pouco antes pretendia prendê-la.

– Tome, dona Fátima. Fique tranquila – disse a escrivã, mudando radicalmente o tom de voz e agora quase sorrindo. – Pode ficar calma, tá? Não precisa chorar. A gente vai levar a senhora pra casa.

A pressa não era motivo bastante para convencer Fátima a andar pelas ruas de seu bairro numa viatura de polícia. Nunca em sua vida, se lhe fosse dado escolher, permitiria tamanha humilhação.

Dispensou com expressa gratidão a oferta dos policiais, e, enquanto se levantava para ir embora, foi avisada pelo homem de terno que sua presença no DHPP ainda poderia ser necessária caso precisassem de algum esclarecimento.

– A senhora está muito abalada hoje. Será perda de tempo para nós e uma maldade para com a senhora nós a interrogarmos.

Enquanto caminhava pelos longos e estreitos corredores de cimento a caminho do elevador, tentava não olhar para o interior das salas com portas abertas.

Na única que teve coragem de verificar, viu um homem sozinho com a cabeça baixa, sentado no chão, algemado a uma argola de ferro presa à parede. A visão da cena a fez acelerar o passo, mas, quando virou à esquerda, um aglomerado de pessoas a impediu de continuar a fuga.

Algumas delas a olharam de cima a baixo como se lhe revistassem o corpo. Por estarem todos armados e sem fardas, Fátima ficou confusa com a cena. Seriam todos policiais? Ocorreu-lhe que pessoas assim, vestidas com camiseta e calça jeans, estariam pelos metrôs e ônibus da cidade, esfregando suas armas na multidão.

Incomodada com o cheiro intenso de cigarro que pairava no ambiente sem janelas, tentou manter o olhar no chão. Teve sucesso em avançar alguns metros mesmo sem pedir licença.

Quando achou que o caminho estava finalmente livre, ouviu uma voz conhecida chamar seu nome.

Suzane estava num banco colado à parede com um homem de terno. Julgou ser o advogado que acompanhava a menina. Ele se levantou sob os olhares de todos, aproximou-se da empregada e perguntou como ela estava. Apesar da resposta positiva, a singela reação da mulher não interessava a Suzane.

– Fátima, hoje você pode limpar a bagunça lá de casa?
– Sim, senhora. Quando será o enterro?

Já era! Acabou!

> 11. A religião do delinquente.
> 11. Assassinos
> Os assassinos apresentam aos estranhos modos doce e compassivo e um ar calmo. São pouco voltados ao vinho, mas muito ao amor carnal. Entre eles são petulantes, arrogantes e orgulhosos dos próprios delitos, nos quais dependem mais da audácia e força muscular do que da inteligência. Uma particularidade dos assassinos é a de serem, na vida comum, as pessoas mais alegres do mundo, que sempre procuram a companhia dos cômicos.

Não fosse pela empregada chorando enquanto lavava a louça, nada poderia ser notado de diferente naquela casa. Ela já havia limpado os cômodos do andar inferior, mas estava adiando ao máximo o enfrentamento da tarefa de arrumar o quarto onde o casal fora morto.

Do andar superior, ouvia Andreas cantarolar a música estranha que acompanhava no rádio. A voz do garoto ecoando pelo imóvel a fez sentir pena da figura solitária, quase triste, que não tinha ninguém querido por perto para confortá-lo.

Suzane chegou logo depois, acompanhada de um jovem alto e de uma amiga de corpo esguio e traços orientais. Ficou surpresa em saber que o rapaz, de nome Daniel, era o namorado de Suzane. Nunca o vira antes. Por certo, a discrição excessiva da família evitava que soubesse de intimidades assim.

A outra menina tinha cabelos tão escuros que, quando próximas, contrastavam com a pele quase vermelha de Suzane. Cumprimentaram-se rapidamente:

– Fátima, precisa de ajuda para limpar o quarto de meus pais? – A pergunta, travestida de oferecimento de ajuda, era uma ordem clara para que ela cumprisse logo suas obrigações. Mas a empregada tinha passado de relance pelo lugar e vira a cama suja de sangue. Uma enorme poça de um vermelho espesso escondia-se sob o móvel. – Pegue a luva de lavar privada, Fátima. E também as botas que minha mãe comprou pra você. Ela sempre foi tão preocupada com a sua saúde, né?

– Dona Suzane, estou com medo.

– Medo? Medo de quê?

Fátima queria ter sido mais clara em precisar o que sentia. Não era dada a acreditar em histórias de assombração, mas não podia negar o sentimento que a afligia por estar naquela casa.

Não havia nada de concreto que a fizesse supor a presença de algum mal, entretanto, sua verdadeira vontade era a de não fazer parte da história daquela família.

– E se os bandidos voltarem?

– Pode ficar tranquila, mulher. – Daniel tomou para si a impaciência de Suzane. Ambos tentavam convencer a empregada de que a relutância dela era tolice. A menina oriental sorriu pequeno, do tamanho de sua boca. – Quem fez essa barbaridade já deve estar bem longe e não voltará. E, se voltar, estarei aqui esperando por ele. A partir de hoje, eu protejo vocês.

Fátima nunca tinha visto Daniel antes na casa, mas seu afeto para com Suzane deixava claro o grau de proximidade entre os dois. Acreditava na coragem do rapaz, mas aquelas palavras não a fizeram segura da proteção que ele estava oferecendo.

Os jovens subiram as escadas em silêncio. Apesar do som alto que vinha do quarto de Andreas, ouviu quando ele interrompeu a cantoria para cumprimentar o grupo. Fátima teve quase certeza de que houve risos ali.

Calçando as luvas e botas sugeridas por Suzane, planejou como iria manipular os objetos do casal sem sujar-se. O colchão certamente iria para o lixo. A cama também deveria ter o mesmo destino, mas isso era uma decisão que não lhe competia. Era algo que precisava de autorização.

Ao chegar ao quarto de Suzane, o teor da conversa dos três jovens foi ignorado diante da cena que se apresentou: Suzane, em pé, de costas, nua, escolhia roupas no armário sob a vigilância carinhosa do namorado e da amiga, sentados na cama. Fátima desviou o olhar, constrangida por compartilhar um momento que não lhe pertencia.

– Vou pedir a ajuda dos vigias da rua para tirar o colchão e jogar no lixo.

Fátima se lembrou de quando tinha dezenove anos e seu corpo ainda não tinha as marcas do cansaço. Moreno e cobiçado, recebia elogios pela firmeza das coxas grossas que gostava de manter sempre bem depiladas para melhor sentir o carinho das mãos que escolhia entre os garotos mais bonitos da cidade.

Ao perceber um brilho de alegria no rosto de Daniel, teve certeza de que Marísia desaprovaria a naturalidade da filha ao expor-se para pessoas que não frequentavam a casa.

Certa vez, para romper um desagradável instante de silêncio com a patroa, comentou sobre a vida amorosa das meninas na idade de Suzane. Com palavras medidas, ela respondeu que sua filha, muito jovem, não tinha namorado ou coisa que o valesse; e só se casaria após a estruturação da vida profissional. E mais nada, bem ao modo dos discursos espartanos de Marísia.

Mas a mulher que via despida de pudores à sua frente parecia estar certa de seu futuro matrimonial para além dos projetos de sua mãe.

Daniel, vendo Fátima tolhida de qualquer reação, expandia-se em ares de satisfação enquanto a amiga oriental mantinha-se em elevada presença, como se a simétrica sinfonia desenhada na figura da jovem mulher nua não lhe despertasse interesse.

– Boa ideia. Jogue fora a cama também – respondeu Suzane, sem incomodar-se com a presença da empregada.

Quando Fátima retornou, os jovens já estavam no andar de baixo; trouxe consigo dois homens rústicos. Outros dois a seguiam logo atrás, conversando com reserva. Daniel reconheceu Cravinhos, seu pai, num deles, e levantou-se do sofá para abraçá-lo.

O outro permaneceu em silêncio, mas pela postura de autoridade via-se que não estava ali para ajudar a limpar a casa.

– Dona Suzane, o moço aí é um policial e quer conversar com a senhora. – Quando notou que o ritual de apresentação tinha começado, Eduardo tirou do bolso sua identificação.

– Meu nome é Eduardo, sou investigador do 27º DP, aqui do bairro.

– Eu já conversei com a Polícia. Não tenho mais nada a dizer.

Eduardo estava pronto para ouvir aquela rejeição e sabia o risco que corria por estar ali. Os trabalhos de investigação estavam com o Departamento de Homicídios, por isso a presença dele ali pouco importava para o esclarecimento do crime. Tinha motivos próprios, que delegado nenhum conhecia.

– Acalme-se, Suzane. Infelizmente as coisas são assim. – Cravinhos estava atento à mudança de humor da garota. – Já expliquei para ele que você só conversará acompanhada de um advogado.

– Não se preocupe. Não vim para pegar seu testemunho. Você já fez isso no DHPP, não foi? Então não tem por que se preocupar. Sei o quanto isso é desagradável; não me sinto bem em ter que agir assim, mas é meu trabalho.

Fátima, impaciente com a intransigência da menina, não quis acompanhar o desfecho daquele debate monótono. Avisou que começaria a limpeza do quarto naquele instante e seguiu na direção da escada. Suzane terminou a conversa sem preposições; deixou o policial na sala dizendo que iria ajudar a empregada. O namorado e a amiga a seguiram, como se tivessem recebido ordem para isso.

Ao se verem novamente sozinhos na sala, Cravinhos pediu desculpas pelo comportamento da menina. Eduardo, compreensivo, comentou que ela estava tentando ser forte, uma maneira adulta de suportar a dor. Olhou para o teto, tentando descobrir de quem era a voz que estava cantando tão alto.

– O menino está sofrendo, quase enlouquecendo, coitado. Precisa de ajuda psicológica com urgência.

Cravinhos perguntou ao policial se gostaria de beber alguma coisa. Foi na direção de um frigobar sobre o balcão e de seu interior escolheu uma garrafa de água. Diante da negativa de Eduardo, pegou copo e gelo para montar sua bebida.

– Que tragédia. Ninguém merece essa dor, meu Deus! – Derramou um gole pela garganta antes de movimentar a língua pela boca para melhor apreciar o líquido. – Imagine só. A gente trabalha uma vida inteira, acorda cedo, perde a saúde, engole sapos, e quando consegue todo esse conforto, uns filhos da puta vêm e acabam com tudo.

– Vocês eram muito amigos?

– Praticamente uma família. Nos dávamos muito bem. Manfred e Marísia formavam um casal bastante simpático, sempre sorridentes, felizes. Davam do bom e do melhor para os filhos.

– E as crianças?

— Dois anjos.

— A Suzane parece ser durona, né?

— É só fachada para esconder o sofrimento. No fundo, é uma menina deprimida, triste. Seu único consolo é o amor do meu filho.

Cravinhos olhava para o fundo do copo, revolvendo o que sobrara da mistura de gelo derretido.

— Ela é tão inteligente... eles se completam, sabe? Ajudou muito o Daniel a crescer, e ele dá força a ela. Todos se dão muito bem, inclusive com meu outro filho, o Cristian. Precisa ver como a Suzane e o irmão choraram ontem à noite. Uma cena de cortar o coração... nós todos, abraçados... uma rodinha de choro. Ela estava desesperada. Perder os pais assim... o senhor deve saber como isso abala a pessoa.

— Só sei de tanto ver. Por que a cama do menino estava com travesseiros embaixo do cobertor? Parecia que alguém montou aquilo lá para fingir que dormia.

Cravinhos apoiou os cotovelos no balcão e deixou escapar um sorriso engenhoso. Olhou na direção das escadas, para certificar-se de que não seria ouvido pelos outros.

— O Andreas sempre fugia quando os pais dormiam. Coisa de moleque. Ligava para meu filho e iam juntos jogar videogame em uma LAN *house* perto de casa sem que Marísia e o Manfred soubessem. Eu conhecia o lugar, sei que era seguro.

— Foi isso o que aconteceu ontem?

— Sim. Suzane e Daniel vieram buscá-lo, deixaram ele na LAN *house* e depois foram para um motel.

— Motel?! — A surpresa de Eduardo não era tanto por saber que o casal fora a um estabelecimento cujo único serviço era oferecer um local para transar, mas sim por esse assunto ser tratado com espontaneidade pelo velho senhor.

Lembrou-se do corpo de Suzane que acabara de abandonar a sala e o quanto era atraente. Ao mesmo tempo, sentiu-se estranho ao vê-la lançada ao sexo em camas que acumulavam sêmen e suor de tantos outros casais.

– Sim. Domingo é o aniversário dela. E como ela iria viajar, resolveram antecipar a comemoração.

Eduardo estava pronto para perguntar sobre o encadeamento e horários exatos dos fatos que acabara de ouvir, mas isso implicaria aprofundar-se num trabalho que parecia secundário aos seus interesses.

A segurança com que o homem lhe contava a história fez o investigador entender que Cravinhos provavelmente já o fizera anteriormente ao Departamento de Homicídios.

Não havia motivos para considerar-se confidente de algo ainda não conhecido pela Polícia, pois nada do que tinha ouvido era novidade. Por certo, Suzane, Daniel e Andreas conheciam aquele enredo com a mesma riqueza de detalhes.

Se bem conhecia a rotina dos trabalhos de investigação, naquele instante os policiais do DHPP estariam tomando o testemunho dos funcionários do motel e da LAN *house* para descobrirem alguma contradição entre eles e a família. Serviço banal, que qualquer tira poderia fazer. Bastava um mínimo de coordenação lógica para analisar os fatos.

– Manfred era amigo do governador?

– Sim. Ele era um homem inteligente, mas, como todo bom alemão, era duro, muito sério, queria que tudo fosse tradicional. Ele não permitia que sua filha tivesse relações com Daniel. Por isso os dois viviam se encontrando assim, às escondidas.

O velho deve ter notado a contradição em que acabara de incorrer. Se o casal Richthofen dava-se tão bem com a família de Cravinhos, por que motivos proibiriam o namoro da filha? Seria um ótimo ponto para aprofundar-se, caso esse fosse o desejo de Eduardo.

Mas, por enquanto, o investigador deixaria o homem falar quanto quisesse, mesmo que isso conduzisse a conversa para longe do foco de interesse de Eduardo:

– Uma besteira, já que ele e Marísia nem se tratavam mais como marido e mulher. Havia respeito, carinho entre eles, mas ele dava suas escapadas.

– Os meninos sabiam disso?

– Claro. Tudo era aberto entre eles, não havia segredo. Ora. Um homem rico, boa pinta... – Cravinhos sorriu abertamente, como se dissesse que o destino de um homem como Manfred era encontrar a alegria fora do casamento. – Às vezes, eu sentia dó dele, sabe? Pessoas que ignoram a tranquilidade de um amor e só conhecem o prazer na forma de paixão nunca têm paz de espírito. Paixão é uma doença. O senhor me entende, não é mesmo? Gente assim não conhece a tranquilidade de um lar, a paz de um casamento... parece que querem viver uma eterna adolescência, sem responsabilidade com os sentimentos dos outros... apenas se divertir sozinho ao máximo...

– Não, não sei como é. Ele era engenheiro do DERSA?

– Sim, diretor. – O cargo foi pronunciado com certa pompa, prolongando suas vogais. – Comandava uma equipe gigantesca. Homem muito influente, conhecia muita gente importante.

– Ele trabalhava nas obras do Rodoanel?

– Ah, sim. Era um dos principais responsáveis desde o começo, em 1998. O finado governador Covas confiava muito nele, por isso o nomeou... sempre muito honesto, correto. Do tipo que não pegava um palito de fósforo se não fosse dono dele. Um sentimento de responsabilidade com dinheiro público que o brasileiro não tem. Ele evitou que se superfaturasse muito as obras, mas sabe como é a política, né? O senhor é policial, sabe do que estou falando. Eu sempre brincava com o Manfred, dizendo: "o Covas é que estava certo. Se fosse depender de um brasileiro para cuidar de tanto dinheiro, tinha se fudido".

– Mário Covas foi um grande homem. Tenho certeza de que, se vivo fosse, hoje ele seria nosso presidente.

– Um administrador nato!

– Um líder único. – Eduardo conquistou o apreço de Cravinhos ao demonstrar simpatia pelo antigo governador. – O senhor sabia qual era o salário de Manfred?

– O quê? – O semblante de Cravinhos ganhou desconfiança.

– Quanto ele ganhava? Essa casa, quatro carros... tudo é muito caro. Imagino que ele ganhava bem.

– É tudo fruto de muito trabalho. Além disso, ele vinha de família rica.

A conversa começou a cansar Eduardo. Para não desestimular Cravinhos, mostrou-se interessado pela vida particular daquela família que o homem revelava conhecer de perto.

– Conhece o Barão Vermelho? O piloto alemão da Primeira Guerra? Eram parentes. Manfred era nobre, de longa linhagem de guerreiros prussianos. Veja o escudo na porta: *Pretorius Von Richthofen*. Uns anos atrás ele saiu numa matéria no *Estadão* falando sobre sua árvore genealógica.

Eduardo não escondeu a satisfação por finalmente descobrir o que estava escrito no emblema preso à porta. Pensou em perguntar o que significavam aquelas palavras, mas Cravinhos monopolizou o diálogo relatando os momentos honrosos da vida do famoso aviador, sua bravura e dignidade para com os adversários que abatia no campo de batalha. Disse que tamanho cavalheirismo lhe rendeu a admiração até daqueles que estavam do lado oposto da luta, e que tais predicativos eram parte da educação da família Richthofen.

Nada daquilo importava a Eduardo. Pelo contrário, desprezava valores como aqueles e pessoas que os ostentavam. Viu-se na incômoda obrigação de ouvir sobre o sepultamento do nobre germânico feito pelos soldados inimigos, no qual lhe foi reservada a distinção merecida aos homens probos.

Em certo momento, perdeu-se nos elogios que saíam da boca de Cravinhos, sem entender de que assunto se tratava.

Foi com alívio, portanto, que viu o colchão sujo de sangue aparecer na sala, trazido pelos homens orientados por Fátima. Nem mesmo o entusiasmo de Cravinhos resistiu à cena do inusitado cortejo.

Os carregadores suavam todo o esforço que faziam por carregar o objeto, ainda maior pela preocupação de manterem-se afastados dele pelo nojo. As mãos fortes tentavam segurar os poucos espaços sem manchas no tecido, cuidando para não esbarrar nos enfeites caros espalhados pela sala. Para quem acompanhava com os olhos, tudo era um só vermelho.

A empregada, demonstrando visível desconforto, trazia nas mãos sacos de lixo preto. Num dia comum de trabalho, aquilo seria rotina. Fazia parte das responsabilidades da limpeza sua passagem pela sala com os restos da família Richthofen.

Mas hoje era impossível ignorar que Fátima tinha nas mãos a mortalha dos ex-patrões. Em silêncio, agradeceu a Deus por não ter que lavá-la.

Ocorreu a Eduardo que o colchão e os lençóis não deveriam ser destruídos. Como ele ainda não os tinha analisado em detalhes, acreditava que poderiam guardar algo de revelador. Mais uma vez, reprimiu a curiosidade e preferiu convencer-se de que a competência do Instituto de Criminalística providenciara o exame minucioso daqueles elementos de prova.

Os cochichos infantis que ouviu dirigiram seu olhar para um garoto muito branco de aspecto severo. Ao fundo, escoltando o tráfego do colchão pela casa, Suzane envolvia os ombros de Andreas com o braço. Trocavam palavras mudas, num capricho para que ficassem conhecidas apenas entre eles.

Ao se aproximarem, Eduardo começou a fazer o que mais gostava na profissão.

– Meus sentimentos, Suzane. Confie em nós, porque vamos descobrir quem fez esse mal à sua família. – A menina baixou a cabeça, num movimento comovente. Deixou a franja loira encobrir-lhe a testa e abraçou o irmão. Para completar a trágica cena, Cravinhos suspirou alto, como se prestasse suas condolências.

Andreas não compartilhava daquele momento. Apesar de presente, sua reação apática desencontrava-se daquela da irmã.

– Você está bem, Andreas? – O investigador queria a atenção do menino, e a melhor forma que encontrou era partilhar da dor dele.

– Já era! Acabou!

A frase de Andreas ricocheteou dentro da cabeça de Eduardo. Se ela fosse transcrita dessa forma nos autos de um inquérito, sem o desenho do momento que lhe tocava, a frieza de sua composição faria o garoto ser tomado por suspeito do homicídio. Ela servia perfeitamente para qualquer interesse da Polícia.

Interpretar um testemunho era um ato político; das várias hipóteses de verdade apresentadas, o investigador luta para fazer prevalecer aquela que lhe trará menos prejuízos.

Se aos quinze anos ainda há como separar na pessoa seus momentos de confusão e lucidez, Eduardo concentrou-se no semblante do garoto esperando um ato de sarcasmo que esclarecesse palavras tão perigosas.

Uma ironia amarga seria plenamente justificável vinda da boca de alguém que acabara de perder os pais num ataque de violência brutal. A única coisa de que não gostaria era permanecer na linha tênue que separavam o cinismo e a hipocrisia.

Enquanto Andreas o encarava, Eduardo foi tomado por um pensamento que sabia ser perigoso. Não queria acreditar que os fatos se esclareceriam assim tão facilmente. O menino estava abalado, e o que ele dizia poderia ser apenas reflexo de uma personalidade tumultuada, sem conexão com o mundo real.

Mesmo que o investigador cogitasse a remota hipótese de acreditar na participação do garoto no crime, havia o abismo da burocracia procedimental a ser ultrapassado.

Já que o fato criminoso sempre ocorre por culpa de alguém, o responsável só não é punido por incapacidade da Polícia em construir as provas – uma obviedade já cantada em tantos filmes. O assassino pode confessar em detalhes seu estratagema, mas se nenhuma de suas palavras for subscrita com papel e tinta, ele sai pela porta da frente da delegacia tão inocente quanto o morto.

Por enquanto, as suspeitas sobre Andreas eram desprovidas de provas materiais, o que seria perfeito para Eduardo se tivesse por profissão o jornalismo.

Antes que as dúvidas fossem esclarecidas, Suzane tomou o irmão pela mão e o levou para o interior da casa. Ao pé da escada, com os músculos dos braços tensos, ela falou novamente algo ao ouvido dele.

— Meu Deus! Como essa família vai se recuperar? — disse Cravinhos, passando a palma da mão pela boca.

Eduardo estava satisfeito com sua visita. Despediu-se de Cravinhos, agradecendo os momentos da boa conversa. Era hora de sair. Os policiais do Departamento de Homicídios logo retornariam à casa para colher novas informações, e, se o encontrassem ali, ele não saberia explicar o motivo de sua presença.

Ao portão, viu Fátima voltando, subindo a ladeira pela calçada. No final da rua, numa caçamba de lixo, estava o colchão deixado pelos homens.

A empregada o cumprimentou com um sorriso, retribuído na medida pelo investigador.

— A senhora trabalha aqui há muito tempo?

Fátima limpou as mãos no avental. Achou Eduardo calmo demais para ser policial e chegou a estranhar-lhe os sorrisos. Após conversarem sobre o clima e a tranquilidade do bairro, ela perguntou se não era perigoso ficar na casa.

Eduardo preferiu não dizer a verdade e escondeu que não sabia avaliar esse risco. Explicou a ela que os bandidos já tinham feito o que pretendiam, e como havia muito alvoroço na mídia, dificilmente voltariam a atacar.

— Foi a mesma coisa que o garoto que se disse namorado da Suzane me falou.

O investigador estranhou o cinismo na voz de Fátima ao referir-se a Daniel. O mal-estar se desfez quando ela explicou que nunca tinha visto o rapaz na casa dos Richthofen. Pelo menos, não no seu horário de trabalho. Ela nem sabia que Suzane tinha namorado, pois Marísia sempre dizia que a filha deveria preocupar-se com os estudos antes de envolver--se com alguém.

– Moço, uma semana antes de morrer, o Manfred me disse que uma chave mestra havia sumido do chaveiro que ele usava. Um chaveiro lotado de chaves, mas levaram só a chave mestra.

– Chave mestra?

– Sim. Ela abria o portão, a garagem e as portas da casa.

As inquietas conclusões de Eduardo se solidificavam a cada passo dado na casa. Ao que notava, seus moradores declamavam as evidências de uma vida mutuamente incômoda através de metáforas obscuras.

Se antes uma conclusão precipitada sobre o caso o atemorizava pela insuficiência de elementos probatórios, agora se sentia à vontade para aprofundar-se numa única linha de raciocínio, se assim desejasse. Ou melhor, se considerasse necessário a seus interesses.

Contudo, o problema mais urgente a solucionar era sua permanência no 27º DP, ameaçada pela chegada do novo delegado titular.

O dinheiro prometido à autoridade apenas diminuiria temporariamente os riscos de uma remoção compulsória; para afastá-la em definitivo, ele teria que entregar ao chefe algo mais valioso que seu salário de investigador.

E era isso que tinha em mãos: a morte do homem responsável pela maior obra pública do Brasil.

– Mas, dona Fátima, quer um conselho? Saia dessa casa o quanto antes. A senhora merece coisa melhor.

– E a gente escolhe onde quer trabalhar, moço? Tem que pegar aquilo que aparece. A gente faz muitas coisas que não gosta na vida, mas eu vivo bem com isso.

Eduardo lembrou-se da menina que ele matara com um soco. Havia algum tempo a imagem daquele corpo mole em queda não lhe ocorria; tinha a mesma idade de Suzane, e seu pai a mesma calvície de Manfred apesar de mais castanha.

Se se apressasse, poderia conversar com o delegado antes de ele ir embora do DP. Se tivesse se apressado, poderia ter conversado com a moça antes de tê-la matado.

Uma semana para a remoção de Eduardo

Naquela troca de plantão quase às sete e meia da noite, havia tantas pessoas perdidas no pavimento térreo do DP que Eduardo achou que passaria despercebido pela equipe do dia. Estava ali para conversar com Norberto, o novo delegado titular. Mas não pôde deixar de notar a impaciência que a multidão estampava no rosto, descontente com a demora do serviço.

Percebeu a quantidade incomum de policiais militares vagando pelo *hall* de entrada; concluiu tratar-se de um flagrante. O aspecto insatisfeito daqueles homens fardados indicava que não havia nenhum policial civil por perto para atendê-los. Ao lado da sala do delegado de plantão, dois homens algemados estavam de pé virados para a parede; mantinham a cabeça baixa enquanto eram observados por um PM que escrevia algo em sua prancheta.

– Grande Edu! – adiantou-se o policial militar que parecia ser o condutor do flagrante. – Que bom que apareceu. Estamos aqui há uma hora e meia e ninguém apareceu para nos atender. Acha que vão chutar esse flagrante para a próxima equipe?

– Tráfico?

– Pegamos esses lixos vendendo essa baganinha aqui. – O PM segurava nas mãos um cigarro de papel branco e delicado. Mesmo a certa distância, Eduardo reconheceu o cheiro característico de maconha.

O tira aproximou-se de um dos algemados e perguntou para a nuca deste o que ele tinha feito:

– Senhor, eu falei pro polícia que eu não tenho dinheiro aqui comigo agora.

— Vira pra parede, porra! Quem te falou que podia olhar pra mim?

— Desculpa, senhor. — O homem voltou os olhos para o tênis imundo que calçava. — Eu não tenho dinheiro agora. Posso ligar pro meu advogado?

Uma senhora caminhou na direção do investigador:

— O senhor trabalha aqui? Preciso fazer um boletim de ocorrência. — Ao ser anunciada publicamente sua condição de policial, os olhos das pessoas que buscavam ser atendidas voltaram-se para Eduardo.

Os mais ousados arriscaram passos na direção do homem que parecia participar da burocracia do local e ser capaz de explicar o que deveria ser feito para terem o problema, se não resolvido, pelo menos registrado pelo Estado.

— Estou aqui há cinquenta minutos e ainda não consegui falar com ninguém — disse a mulher.

— Eu estou na Polícia há vinte e quatro anos e tenho essa mesma sensação, senhora.

A mulher sorriu com a piada de Eduardo, que parecia compartilhar do mesmo desamparo. Os outros cidadãos, desapontados ao descobrirem que Eduardo não os ajudaria, retornaram à espera barulhenta.

Antes de subir ao primeiro andar, foi até a sala do escrivão Ivan e o encontrou anotando a estatística do dia nos livros. Cumprimentaram-se.

Pediu um cigarro a Eduardo, reclamou da irritação do público daquela região, maldisse o sistema eletrônico de registro de boletins de ocorrência que estava sempre fora do ar, como agora ocorria.

— Não sei como você gosta da bosta desse bairro, Edu. Tá vendo aquela biscate ali? Antes de me dizer seu nome, disse que era repórter da *Folha*. Quase mandei ela tomar no cu. Depois dessa, o sistema só tinha que sair do ar mesmo, né?

– Cadê o pessoal?

– Sei lá. Foram comer, dar a bunda. – O escrivão acendeu o cigarro e soltou uma longa baforada – Sabe, Edu. Tô fazendo um corre pra Zona Leste. Cansei desse povo arrogante... acham que são nosso patrão. Tô numa idade que não preciso mais ouvir desaforo. Conhece alguém no 100º DP? É no Jardim Ângela, perto da minha casa. Supertranquilo, sem tumulto.

Eduardo conhecia aquele tom de voz. Era um pedido de ajuda. Todos conheciam a competência do investigador para arrumar lugar de trabalho e, quando precisavam, era a ele que sempre recorriam.

Prometeu ao homem conversar com um amigo do 100º DP que o receberia bem.

– Considere-se transferido. Pode pegar o DVC da molecada do homicídio de ontem? Quero saber se algum deles tem passagem pela Polícia.

– Claro, Edu. Assim que o sistema voltar.

– E se eu religar o cabo que você desligou? Você acelera o trabalho?

O escrivão gargalhou da astúcia de Eduardo. Pediu paciência e explicou que faria a pesquisa de antecedentes criminais depois das oito horas, logo que a próxima equipe assumisse o plantão.

Depois de se despedirem, o investigador atravessou a sala de espera com dificuldade. O lugar parecia mais cheio a cada minuto.

Na sala do delegado titular, Norberto lia a mesma revista de sempre. Eduardo pediu licença para entrar e fechou a porta. Após um longo silêncio, ficou claro que seriam desnecessários os comentários introdutórios. Nenhum dos dois tinha qualquer assunto para tanto. Norberto não fez rodeios:

– Eduardo, infelizmente não terei como impedir sua saída do DP. – O tira não queria um início de conversa tão rude. Mesmo sabendo que o assunto sobre sua remoção do 27º DP não estava resolvido, não imaginava que o próprio delegado se daria ao trabalho de negociar novos valores. Ficou surpreso com a objetividade do homem.

Poderia oferecer-lhe qualquer quantia, mas sempre seria pouco dinheiro.

– Doutor, o senhor quer prender o governador?

Finalmente o delegado abandonou a leitura a que se dedicava e mirou Eduardo.

– Você ainda está preocupado com o homicídio de ontem? Por que não pede transferência para o DHPP? Eu posso lhe dar uma boa indicação.

– Não quero ir para departamento. Não preciso daquele lugar para ser polícia. Ouça: o patrimônio do Manfred aparentemente é bem maior do que os rendimentos dele como engenheiro no DERSA lhe permitiriam. Ele era um dos responsáveis pela obra do Rodoanel, imagine quanto essa obra não poderia ter rendido de caixa dois ao partido do governo.

Norberto ouvia com atenção, batucando a ponta de uma caneta dourada no tampo da mesa.

– Tudo isso é especulação, Eduardo. Pura fumaça. E não é na minha delegacia que você vai resolver esse caso. Aliás, o crime já está praticamente resolvido. Conversei com uns colegas da homicídios, e eles me disseram que já sabem quem são os autores.

– Acabamos de sair de uma eleição milionária, doutor. Acreditar que as crianças mataram os pais por picuinha familiar é muito cômodo, não acha? É isso que o DHPP vai abraçar? Os meninos podem falar fácil, mas isso será só a metade do motivo das mortes.

– Motivo? O motivo será aquele que dissermos que é.

Norberto deixou claro que não queria problemas. Apesar de não dizer expressamente, Eduardo entendeu que ele não abraçaria a tese de crime político.

– Eduardo, vamos fazer assim. Eu lhe dou um tempo para escolher seu novo lugar de trabalho. Enquanto isso, deixe essa história quieta. Já tenho problemas suficientes.

– O senhor tem uma história muito bonita na Polícia para ficar em distrito, doutor. Chega a ser desonroso mandarem o senhor para a vala comum. Acho isso uma falta de respeito com a dedicação que o senhor demonstrou todos esses anos à instituição.

O sorriso torto na boca do delegado denunciou sua vaidade. Fechou a revista e contou que chegou a ficar até três dias longe de casa, com a mesma roupa, para resolver um caso.

– Tudo isso pra quê? – perguntou. – Até chegar um novo secretário de Segurança e jogar todo o meu passado no lixo.

Pela primeira vez, Eduardo e o delegado conversavam sobre um assunto que conheciam bem. A tristeza por não conseguir controlar a própria carreira profissional unia os dois policiais.

– Eu não sou como você, Eduardo. Ganhei dinheiro no DEIC, como todo polícia deve fazer, mas não tanto como você ganhou no DENARC. Não quero voltar para lá pela grana. Vou voltar porque não sei fazer mais nada na vida, além de roubo a patrimônio.

O modo súbito com que ouviu a referência à sua passagem pelo Departamento de Narcóticos fez Eduardo sentir-se violado. Não queria demonstrar apreensão, mas a frase dita pelo delegado foi a prova de que o homem queria demonstrar saber mais sobre o passado do investigador.

— Não ganhei tanto dinheiro assim no DENARC como dizem por aí.

— Edu, isso você conta lá pras suas negas. O tira que morreu por sua causa era meu amigo. Um irmão. Mais que um irmão!

Norberto não precisava terminar a descrição do investigador para Eduardo entender a ligação que existia entre eles. Mais que irmão só poderia ser sexo, pensou sem culpa.

Era inútil tentar esclarecer os boatos, por isso confiava que aquela história se perderia entre os inúmeros escândalos tão corriqueiros na Polícia, e algum dia ele estaria seguro no esquecimento. Até lá, tentava não demonstrar a riqueza com que o Departamento de Narcóticos o presenteara numa única madrugada de sorte, que acabou sendo de muito azar para o parceiro morto.

— Procure um lugar para trabalhar, Eduardo. Não quero mais você aqui no 27º DP.

Para Eduardo, ficou claro que a resistência do delegado em mantê-lo no quadro de funcionários era ressentimento de puta abandonada.

Não seria dinheiro, nem prestígio, que o faria mudar de ideia.

Nem mesmo a derrubada de um bom serviço faria o investigador permanecer naquele distrito. Norberto considerava o tira responsável pela morte de seu grande amigo, ou fosse lá o nome que davam à relação que existia entre eles.

De qualquer forma, Eduardo estava decidido que o único preço que não pagaria para não ser removido era comer o cu do delegado. Por isso tinha que agir rápido, antes que a formalização do seu bonde fosse concretizada.

— Me dá dez dias. Vou conversar com uns amigos.

— Em uma semana publico sua remoção.

Eduardo despediu-se dizendo que em uma semana Norberto poderia estar de volta ao seu querido DEIC. O delegado sorriu e duvidou da previsão, celebrando ali uma tácita aposta com o investigador.

Lamentos desconexos

Ao telefone, Virgínia estranhou o nervosismo incomum na voz de Cristian. Não se chamavam de namorados, nem se consideravam compromissados para evitar outras pessoas. Era um vínculo forte que lhes permitia contar um com o outro quando precisassem de aconchego.

Moravam no mesmo prédio havia alguns anos, tempo em que a moça pôde acompanhar Cristian crescer, começar e terminar relacionamentos.

– Vem pra cá. Preciso muito conversar com você.
– Aconteceu alguma coisa, Gibi?
– Vem rápido!

Gostava da liberdade com que ele encarava a vida e de sua despreocupação com o destino. Justo por nunca ter notado receio em seu comportamento, o embargo na voz do rapaz a preocupou.

A avó, como de hábito, assistia à televisão na sala. Cristian tomou Virgínia pela mão e a levou para seu quarto.

– Vi, você viu quem foi morto ontem à noite?

A menina quase não teve tempo de cumprimentá-lo com o costumeiro abraço. A pergunta de Cristian a atingiu no peito, quase perto do queixo. Ela só conseguiu acenar negativamente com a cabeça.

– Os pais da Suzane. Deu em todos os jornais.

Virgínia conhecia a namorada de Daniel, o irmão de Cristian. Amigas, se alguém lhe perguntasse, só porque costumavam dividir a maconha ali no apartamento da avó dos irmãos, onde Cristian morava. Emudeceu ao imaginar a dor que a menina poderia estar sentindo.

– Você não viu nada? Tá na televisão.

Cristian não esperou a resposta. Abraçou-a com força, debruçando a cabeça no ombro da moça. Virgínia, apesar de não estar entendendo o desespero do rapaz, ofereceu o carinho que ele conhecia tão bem.

– Eu passei a noite toda no hospital com um amigo que estava doente. Só voltei hoje pela manhã. Quer dizer, antes de ir para o hospital eu fiquei um pouco na LAN *house* com o Andreas. Mas não ficamos muito tempo lá, entendeu?

Não havia o que ser entendido. Virgínia quase não ouvia as explicações de Cristian, perdida na tentativa de reconstruir como teria sido o homicídio.

– Foi a pauladas. Entraram uns ladrões na casa da Suzane, levaram oito mil dólares e algumas joias e depois mataram os pais dela. Ela e o Daniel chamaram a Polícia na hora.

O estranho comportamento de Cristian a estava deixando sem saber o que fazer. Se ele estivesse agindo como ela o conhecia, com uma atitude de desdém e coragem para enfrentar os problemas, ela estaria à vontade para perguntar detalhes.

Acenderam um baseado em silêncio. Cristian permanecia imerso num sofrimento cuja causa ela desconhecia, enquanto Virgínia tentava acalmá-lo com cafunés. Quando notou que ele havia retomado a temperança, convidou-o para passar o fim de semana na chácara dos pais dela, no município de Mairinque.

O passeio era corriqueiro para os dois. Cristian conhecia o local e gostava do silêncio da noite longe de São Paulo, principalmente se gozado no colo da amiga.

– Podemos ir de moto, quer?

Virgínia declinou do convite. Logo que seus pais souberam da relação próxima que sua filha mantinha com Cristian, fizeram-na jurar que nunca andaria nas motos que ele consertava, ou dizia consertar.

Moça de boa reputação que era, não lhe ocorreu desagradá-los. O rapaz insistiu; disse que o veículo era novo, emprestado de um colega – uma Suzuki de mil e cem cilindradas.

Decididos pelo carro, seguiram pela rodovia. Apesar de Cristian dormir durante todo o trajeto, estava ausente a tranquilidade que tantas vezes os acompanhara naquele trajeto.

Logo que entraram na chácara, ele saltou do carro e pôs-se a telefonar. Efetuou muitas ligações pelo telefone celular, de algumas delas Virgínia conseguiu entender o assunto tratado. Conversava com seu pai e com Daniel. Em alguns momentos ele parecia trocar palavras com Suzane ou Andreas.

O caminhar apressado e sem rumo não era próprio do rapaz; balançava as mãos junto ao corpo, desenhando um triângulo descadenciado. Coçava a cabeça ansiosamente, como se os cabelos o incomodassem.

Ao encerrar uma ligação, imediatamente discava outro número e retomava a conversa com o interlocutor de cinco minutos antes. Quando não, o aparelho tocava anunciando chamadas das mesmas pessoas com quem tinha acabado de falar. Discorria sobre a noite anterior, acentuando repetidamente os horários dos fatos enquanto caminhava entre a sala e a varanda.

Por mais que ela gostasse de Cristian, sentiu-se excluída da discussão. E estava pronta para interrompê-lo quando ouviu o comentário do amigo:

– Sim. Comprei a moto.

Cristian não costumava mentir para Virgínia; ou pelo menos nunca soube de algo dito por ele que aparentasse ser uma inverdade. Às vezes ela se considerava alguém de memória ruim, mas tinha certeza de que Cristian havia lhe dito que a motocicleta era de um amigo... sim, era isso mesmo. Até o nome da pessoa ele informou, embora Virgínia não tivesse guardado aquela informação. Pensou em perguntar detalhes sobre a confusão, mas o estado de Cristian não a animava a fazer mais nada além de acompanhá-lo.

Após outro baseado, conformou-se com o distanciamento de Cristian. Era apenas um rascunho de homem assustado. Somente à meia-noite os telefonemas enfim cessaram, e ela conseguiu a atenção dele por uns poucos instantes, quando perguntou se gostaria de comer alguma coisa.

Ele respondeu que sim, mas nada indicava que tivesse fome. Alheio a tudo que o rodeava, encolheu-se no canto do sofá para observar a noite. Depois do quarto cigarro de maconha, o estômago de Virgínia já reclamava por comida. Nessas situações, a fome de Cristian sempre era maior e mais furiosa que a dela.

– Deve ser muito difícil perder os pais. Coitada da Suzane. – A Virgínia pareceu que aquele era o momento certo para entrar na conversa que ocupara Cristian desde a manhã. Sorriu, para deixar claro que ele poderia confiar em seu calor para desafogar as preocupações.

Esperava de Cristian um sinal qualquer de gratidão; um movimento que fizesse valer a pena o esforço de animá-lo. O carinho que tanto queria sentir roçar em sua pele demorava a acontecer.

Ele, entretanto, lançava apenas um olhar perdido, indiferente ao corpo de mulher jovem que ali se oferecia por completo.

Antes que Virgínia pudesse desfazer o breve sorriso, o choro de Cristian explodiu em soluços, e ele colocou o rosto entre as pernas, como se quisesse escondê-lo.

E quando percebeu que não estava seguro em seu abrigo, ajoelhou-se aos pés de Virgínia num longo abraço de desespero, manchando com seu muco a cintura da moça.

Pressentindo que estava a um passo de conhecer algo perigoso, ela pedia em vão que ele se acalmasse. Queria ter implorado para que a conversa não se estendesse além do apoio que prestava.

Os gritos do rapaz a tocavam de forma quase maternal, ou o que mais próximo disso pudesse conhecer. Outrora se julgara apaixonada por Cristian, mas, ao vê-lo indefeso aos pés dela, deteve-se incomodada com o sentimento de pena e horror que se instalava em seu coração.

– Desculpa, Vi! Desculpa. A gente matou os pais da Suzane... Desculpa! Desculpa!

Os braços de Cristian restringiam o corpo de Virgínia como se percebesse o ímpeto de fuga que ela tentava esconder. Nem nos momentos de carícia intensa que dividiam ela sentiu-se tão presa ao corpo do rapaz. Enviou uma súplica a Deus.

– O quê? Para com essa brincadeira, Gibi...

O rapaz zurrava lamentos desconexos. Virgínia não entendeu aquilo como um ato de contrição; ela não sabia do que devia perdoá-lo. Ensaiou um sorriso de deboche, pois chegou a duvidar do relato ouvido.

Mesmo protegidos pelo silêncio da chácara, ela temeu que alguém pudesse ouvir o pranto que escapava na noite.

Um buldoguinho preto

— Edu. Você nunca dorme, caralho?

Rodrigo reclamou do telefonema de Eduardo logo pela manhã. Eram ainda seis horas, e Eduardo queria sua companhia para irem juntos ao DHPP, conversar com um antigo colega.

— Durmo quando tenho paz. Passo aí e te pego.

— Quem disse que eu quero ir?

— Vai perder a chance de prender a loirinha?

Quando se encontraram no carro, Rodrigo ainda perguntou por que o colega não ia sozinho ao Departamento de Homicídios. Conhecia as preferências solitárias do investigador, e por isso estranhou o convite para a diligência.

— Alguém sabe que estamos indo lá, Eduardo?

— Tá com medo?

— Eu não tenho arma, esqueceu? Se vamos prender alguém, preciso de uma arma.

Eduardo ouviu o argumento de Rodrigo e achou justa a reivindicação dele.

— Tome, pode usar meu *buldoguinho*. Mas só use se for para matar alguém, porque é para isso que as armas são feitas. Ladrão não tem medo de arma, Rodrigo. Se for sacar, esteja pronto para disparar na cabeça. E eu se souber que sacou o cano para fazer graça, eu mesmo te mato. Fique com ele até a polícia lhe dar a carga definitiva de uma pistola. Está registrada em nome de um defunto, então não seja pego com ela.

Ato contínuo, Rodrigo levantou a barra da calça e prendeu o revólver trinta e oito de cano curto no coldre que trazia preso à canela. Eduardo ficou surpreso com a cena:

— Por que você anda com um coldre vazio na perna?

— Eu estava esperando uma ocorrência que me desse uma arma fria qualquer. Quero ter uma vela, que nem esse seu revólver.

— Ele não é vela, menino. É um *backup*; uma segurança para quando essa porcaria da Taurus falhar. A vela tem que ser arma fria, raspada, sem chance de rastreamento. Quando você fizer alguma merda, põe a vela ao lado do morto e diz que a arma estava na mão dele, por isso você teve que matar o infeliz.

— Não é melhor jogar droga nele?

— Quanto de droga é preciso para configurar o tráfico? Um quilo? Dois? E do quê? Maconha? Pedra? Pó? Não dá pra ficar andando com essa porcaria no bolso por aí enquanto se trabalha... melhor é ter uma arma fria. Pequena, de preferência. Enfiar droga em bandido é coisa de PM, meu amigo. De gente que não sabe trabalhar direito. Lembre-se: você é tira. Trabalhe com a cabeça. Se for para fazer errado, que faça errado direito.

Não havia por que refutar Eduardo. Rodrigo já conhecia aquelas recomendações desde a Academia, embora ainda se confundisse com termos como *arma raspada*, *arma pinada*, *arma adulterada*, etc.

Esperava nunca ter que usar desses artifícios, mas, se fosse necessário, queria estar pronto para agir sem ter quer colocar em risco seus companheiros.

— Acredita mesmo que a loirinha tá no rolo, Edu?

— Como vou saber? Isso é trampo da Homicídios.

Não fosse a extrema confiança de Rodrigo no parceiro, teria deixado o carro naquele instante com um sonoro palavrão de protesto. Haviam conversado sobre uma possível ligação de Suzane com o crime, mas evitava perguntar a Eduardo quanto disso seria verdade. Muito embora tenha se irritado com a falta de consideração do velho investigador, Rodrigo via muitas vantagens em acompanhá-lo, pois aprendia macetes de investigação.

Além disso, era uma ótima chance para conhecer policiais de departamentos; amizades que poderiam tirá-lo do plantão. Por isso não costumava negar apoio, mesmo que sua presença servisse apenas como uma companhia agradável.

Eduardo gostava de ensinar, e Rodrigo não se opunha a aprender. Só lhe incomodava a fumaça de cigarro dentro do carro.

Estacionado em frente ao prédio do DHPP, numa vaga destinada a viaturas e carros oficiais, havia um veículo do jornal *Folha de S.Paulo* com duas pessoas aguardando alguma coisa. Ao lado, uma van da Rede Globo com um funcionário instalando a antena no teto do carro.

Rodrigo comentou a audácia dos jornalistas e foi repreendido pelo colega. Havia outras vagas disponíveis, por isso era melhor não arrumar problemas com a imprensa por coisas pequenas.

– Guarde o bolachão para uma hora melhor, Rodrigo. Esse distintivo vale muito para ficar ostentando por aí. – Eduardo jogou pela janela o toco de cigarro e, antes de desembarcar, colocou outro na boca. Deixou-o pendurado sem acender. Tinha o hábito de carregar cigarros apagados nos lábios.

– Por que esse pessoal veio aqui em pleno sábado? Será que tem algum QRU importante aí dentro?

– Devem estar procurando a mesma coisa que nós. Todo mundo quer saber da loirinha.

O imponente palácio da Polícia que abrigava o Departamento de Homicídios já não causava tanto espanto a Rodrigo e nem sequer era notado por Eduardo.

O que chamava mais a atenção dos policiais era a perigosa miséria dos imóveis nas cercanias; os viciados em crack que perambulavam pela região. O aumento dessa população na região tornava o bairro inabitável.

As colunas de cimento cor de terra sustentavam finos mastros com as bandeiras do estado e do país. A terceira, que Rodrigo até pouco tempo jurava ser do time da Portuguesa, representava a cidade de São Paulo, ou a própria Polícia Civil.

Nunca teve certeza, nem se preocupou em descobrir.

Antes de se identificarem ao policial na entrada, uma mulher saiu do carro do jornal na direção de Eduardo:

– Oi. O senhor é investigador no 27º DP?

O dia não estava quente para as roupas que ela usava. Era o triste nublado de São Paulo, quase cor de fuligem. Como era esperada a acentuação do frio no final da tarde, Eduardo imaginou que aquela blusa fina de malha branca colada ao corpo da mulher a faria tremer, e então seria o momento ideal para oferecer-lhe um abraço quente.

O vento frio fazia esvoaçar a barra da saia fina, mostrando a tentadora textura opaca da meia-calça que apertava as pernas grossas. Os mamilos estavam rígidos e não conseguiam esconder-se atrás do bojo do sutiã.

– Eu vi o senhor ontem no distrito.

Era verdade. Eduardo se lembrava da figura da moça apontada pelo escrivão mal-humorado, perdida em meio à multidão que queria registrar um boletim de ocorrência.

– A gente pode conversar um pouco? O que a Suzane veio fazer aqui no DHPP hoje?

– Se você parar de me chamar de senhor, na volta, batemos um papo – disse e acendeu o cigarro que trazia apagado no canto da boca.

A frustração ficou evidente no rosto da repórter. Rodrigo ficou surpreso com o desdém do parceiro com a beleza da moça, deixando para trás apenas a fumaça de nicotina.

No elevador do prédio, Eduardo explicou a necessidade de distância com jornalistas. Era preciso ter a imprensa por perto apenas para poder soltar uma informação que ajudasse a Polícia.

Afora isso, nunca deveriam sequer tomar uma cerveja juntos confiando tratar-se de uma relação de amizade.

– Se tem uma coisa que acaba com a vida do homem, garoto, é a buceta. Você tem namorada?

– Não.

Eduardo nunca antes havia perguntado sobre a vida pessoal de Rodrigo. Permaneciam juntos grande parte do dia, mas as conversas eram restritas a assuntos da profissão. Aquilo era uma boa surpresa, e o rapaz sentiu-se feliz em dividir sua intimidade, mas sem coragem para devolver-lhe a pergunta.

– Tome cuidado com o papo de cama, garoto. Depois que ela gozar, cale a boca ou se mande. Elas não se ofendem com isso, porque a mina vai ter tesão na arma, na viatura. Você é um pé-rapado, mas por causa do distintivo será bem recebido aonde for e vai comer qualquer uma. Se quiser conversar, conte o que as mentiras querem ouvir. Só restaram os tiras no mundo para tratar as mulheres como elas gostam, o resto é veado ou moleque. Então, aproveite sem fazer cagadas.

Os corredores do quinto andar estavam estranhamente movimentados para uma manhã de sábado. Como a repórter anunciara a presença de Suzane no recinto, logo concluíram o motivo do tumulto. O lugar, uma construção antiga de paredes grossas e revestimento rústico, era tão gelado quanto a rua.

As passagens estreitas circundavam um imenso vão livre, do tamanho da construção.

Antes de abrigar policiais, era cadeia que guardava ladrões. Corriam lendas sobre pessoas que se jogavam pelas janelas, despencando no vazio do interior do prédio.

Alguns diziam que os suicidas eram policiais, outros, que eram ladrões, ou que nem sempre eram suicidas. E que à noite vinham chorar de arrependimento nas salas escuras.

Esbarraram em pessoas de semblante conhecido: homens indomesticados, de valentia colérica. Eduardo avançava sobre os vultos sem incomodar-se com os obstáculos, acompanhado logo atrás por Rodrigo, este menos certo de aonde chegariam.

Entre as inúmeras portas abertas, entraram naquela cuja placa indicava o responsável: Chefe dos Investigadores.

– Edu! Que cê tá fazendo aqui, caralho? Matou alguém? – Maurício se orgulhava da espessa barba branca, que, aliada à barriga saliente, fazia que fosse chamado de Papai Noel pelos corredores quando não estava presente. Era famoso pelos impropérios proferidos durante suas falas e pelo vocabulário rico em palavrões que adquirira no trato com os criminosos durante os anos de Polícia. – Cê tá de férias, seu filha da puta?

O longo abraço trocado entre os investigadores foi barulhento por causa dos recíprocos tapas nas costas. Rodrigo se espantou com a demonstração de carinho do parceiro; não imaginava que ele pudesse guardar boas lembranças de alguém na Polícia.

Passaram alguns minutos entre comentários sobre os distritos policiais, o fim inevitável da Polícia Civil e a ascensão da Polícia Militar.

– Esses delegados filhos da puta só querem saber de grana, Edu. Ninguém tá aqui por amor à camisa. Lembra como era na nossa época? A gente ficava uma semana inteira de campana pra dar cana no mala; hoje só se prende quando a imprensa começa a comer o rabo deles. Enquanto isso, a bandidagem tá aí, rindo da nossa cara.

– Você tá o mesmo reclamão de sempre, Maurício.

A gargalhada dos amigos ocupou todo o recinto. Rodrigo estranhou que ninguém do lado de fora da sala viesse verificar a origem de tanta alegria.

— A porra daquela Suzane tá aí falando com a 1ª Equipe da C–SUL. — Maurício apontou o braço gordo para o lado direito da sala, sem precisar um lugar no prédio. — Olha a bagunça que tá na lojinha. Como alguém consegue ganhar dinheiro desse jeito? Tenho duas bucetas pra sustentar, merda.

— Achei que esse inquérito estivesse com você.

— Cê tá ficando maluco? Faltam dois anos pra eu me aposentar. Não ia abraçar essa rola grossa nem com ordem do secretário. Podem me mandar para plantão de distrito na casa do caralho na ZL, mas não quero saber de homicídio que tem nego fodão como vítima.

A voz grave de Maurício, adquirida em anos de tabagismo abandonado, emudeceu ao notar que estava sendo atentamente observado por Rodrigo. Eduardo percebeu o mal-estar:

— Este aqui é o Rodrigo. Meu filho mais velho do 27º DP. Foi por isso que te liguei. Tem lugar pra ele aqui?

— Porra, se é teu camarada, é claro que tem. Quando quer começar?

Rodrigo, surpreso, achava que estava ali apenas para acompanhar Eduardo em algo que envolvesse o homicídio dos Richthofen.

A alegria ao saber da notícia de que seria investigador do DHPP ficou clara em seu sorriso, misto de agradecimento e espanto. Sem muita exatidão na escolha das palavras, respondeu que começaria assim que seu delegado o liberasse.

Maurício olhou para Eduardo, como se perguntasse o nome da autoridade.

— Doutor Norberto. Veio do DEIC. Conhece?

– Porra, se conheço. Uma bicha que adora pica de tira. Segunda-feira eu falo com meu delegado e enviamos a mensagem solicitando sua remoção para cá. Seu titular não vai ser homem de dizer não ao diretor do DHPP.

Maurício começou na Polícia junto com Eduardo, no DOPS. Mas sua carreira se consolidou no Departamento de Narcóticos, para onde conseguiu transferência em pouco tempo.

Após anos de combate às drogas, sua equipe se destacou como a mais produtiva do estado em apreensões e prisões, quando então se tornou chefe dos investigadores. Seu parceiro de jornada era o Prado, filho de desembargador grau trinta e três, homem quase mudo, que só falava quando considerava que suas palavras teriam algum resultado prático.

Juntos, tomavam serviços da Polícia Federal sem a menor formalidade, capturavam criminosos no exterior e derrubavam aviões de traficantes na fronteira. Diziam ter informações privilegiadas do DEA, a Agência de Combate às Drogas dos Estados Unidos. Por isso causaram espanto quando as toneladas de flagrantes começaram a ser uma rotina diária.

Certa vez, o velho amigo Eduardo apareceu pedindo uma vaga na equipe. Maurício gostava de seu estilo impetuoso; admirava a obstinação de policiais que tinham deixado o conforto da família para dedicar-se à Corporação.

No início, Eduardo cuidava das intimações e da burocracia da repartição. Não tinha horário; era comum vê-lo preenchendo livros, fazendo relatórios ou cuidando das viaturas durante as madrugadas e feriados.

Tanto capricho chamou a atenção de Maurício, que, tomado pelos afazeres de chefe, não se ocupava mais com o trabalho de campo ao lado do parceiro. Sugeriu então que Eduardo e Prado começassem a atuar juntos em pequenas campanas.

Logo, Eduardo aprendeu a respeitar o silêncio espartano do colega em longas noites de espera pelo flagrante. Madrugadas dentro da viatura, aguardando a chegada de alguém que trazia alguma coisa. Não era a falta de palavras que incomodava Eduardo, mas o fato de não saber, ao certo, o que estavam fazendo ali.

Apesar do receio, precisava confiar no parceiro, porque era isso que Maurício esperava dele.

– Quer esperar um Gol branco na rodovia Fernão Dias comigo? Tem coisa grande nele.

Três ou quatro maços de cigarros depois, o sol amanhecia na estrada, e nada de o carro ou de a tal "coisa grande" aparecer – fosse o que fosse aquilo. Iam para casa, repousavam e retornavam para o mesmo ponto, ou um pouco mais distante, para não chamar muito a atenção.

Guardou consigo a vontade de desistir da estranha diligência.

Maurício foi perguntar-lhe como estavam indo na investigação. A resposta em tom de desabafo: "Sem novidades. Oito dias sem novidades". O chefe entendeu o desânimo do investigador.

– Hoje irei com vocês. É a noite do bote.

Eduardo perguntou como tinha tanta certeza do resultado do trabalho. Sem titubear, o chefe dos investigadores lhe disse que Prado era compadre de um fodão do PCC. As grandes apreensões de drogas do Departamento vinham por intermédio dessa fonte. O outro não perguntou os motivos que levavam a maior organização criminosa do país a colaborar com o DENARC. Não lhe cabia saber. Sentiu-se orgulhoso por Maurício ter compartilhado a informação.

– Hoje você vai trabalhar como polícia de verdade. Chegou a sua hora.

Avisou também que sessenta por cento do que seria apreendido era do Departamento. Quarenta para o delegado responsável pela lavratura do flagrante; o resto seria dividido entre os tiras e o necessário para formalizar o flagrante:

– Tudo isso, claro, depois de vendermos o carregamento de volta para o PCC.

– Sessenta por cento para o DENARC?

– Claro, porra. O aluguel da estrutura é caro, mas vale a pena.

Apenas os três na viatura. Prado avisou que o caminhão não teria escolta, pessoas armadas ou retaliação.

– Provavelmente, nem o motorista sabe o que está levando.

Apenas os três na viatura, porque assim o valor que cada um dos investigadores envolvidos receberia seria maior. Apenas os três seriam suficientes para interceptar o caminhão.

O motorista parou assustado ao comando dos homens que dirigiam a Blazer preta. Não fosse pelas luzes piscantes no teto do veículo, não teria dúvidas acerca de tratar-se de um assalto e passaria por cima daquelas pessoas.

Um caminhão articulado, duas carrocerias, "romeu e julieta", carregado com madeira do Mato Grosso. O motorista chorou de pânico quando, após retiradas três toras, surgiram sob a carga tijolos envoltos em fita adesiva. Cocaína, sem dúvida.

Eduardo, impressionado com a própria competência, finalmente encontrara o significado da Polícia. Tinha certeza de que, com o tempo, seria capaz de conseguir ele próprio todas as informações necessárias para derrubar uma investigação tão produtiva quanto aquela.

Prado tentava com muito esforço remover as pesadas toras de madeira para ver o que haviam apreendido enquanto, ao lado do caminhão, já no acostamento, Eduardo e Maurício algemavam o motorista. A escuridão da estrada às vezes era interrompida pelos faróis de veículos que passavam pela pista.

O motorista não demonstrava pudor em derramar lágrimas; dizia que recebera serviço com o veículo já carregado e que estava apenas levando madeira. Os tiras não duvidavam daquela versão, mas era preciso tratá-lo como traficante que acabara de ser pego transportando sete toneladas de cocaína.

Ao pé do ouvido do infeliz, Maurício explicava seus direitos:

– Vamos para o DENARC. Lá você liga para o seu advogado e para o dono da transportadora; quem sabe podemos fazer um acordo.

Não viu quando Prado se aproximou e sacou seu pequeno revólver preto.

Antes que pudesse encostá-lo na cabeça de Maurício, Eduardo segurou-lhe o braço e impediu que o movimento se completasse. Para azar do chefe dos investigadores, a coragem do colega não impediu o disparo da arma.

Por causa da interferência de Eduardo, o projétil, que deveria entrar na cabeça de Maurício, atingiu-lhe o ombro direito, bem próximo ao pescoço.

Eduardo não teve tempo de julgar a dimensão do estrago provocado pelo tiro; segurou o tambor do revólver e girou a arma para fora das mãos de Prado que, com o movimento brusco, teve o dedo indicador quebrado.

Não hesitou. Com a mesma arma que tomou de Prado, disparou-lhe um único tiro entre os olhos. Depois se aproximou do corpo caído para conferir se já era cadáver. Na dúvida, atirou novamente, dessa vez no buraco da orelha.

Voltou-se para Maurício, deitado ao chão; com a mão no pescoço, o chefe dos investigadores resmungou algo baixinho. Foi preciso Eduardo colocar o ouvido próximo para entender suas palavras:

– O motorista...

O pequeno homem algemado ainda estava de pé. Respirava forte, quase aos urros. Com as pernas cruzadas, sentia vergonha por ter mijado nas calças.

Eduardo o soltou das algemas e se afastou; as mãos livres do motorista imediatamente cobriram-lhe o rosto pardo, sufocando os gritos que previam o que o aguardava.

O investigador disparou duas vezes no peito do motorista, mas o choro só terminou após o terceiro tiro. Eduardo então guardou o pequeno revólver ainda quente no bolso da jaqueta.

Maurício não era à época o gordo de agora. Mesmo incomodado com a dor, conseguiu levantar-se com a ajuda do amigo.

– Arredondou? – perguntou Maurício. O parceiro respondeu positivamente com um balançar de cabeça, mas o chefe não ficou satisfeito. – Guarda tudo no meu sítio... depois me espera no DENARC.

O lugar não era longe, e Eduardo já tinha acompanhado o colega até lá em outra ocasião. Maurício partiu em retorno a São Paulo sem outras recomendações, em busca do primeiro hospital que encontrasse.

Sozinho, Eduardo arrastou os dois corpos para a boleia do caminhão. Muito desajeitado; braços e pernas dos cadáveres se desencontravam com o tórax, dando a impressão de que se recusavam a entrar na cabine.

Próximo da uma hora da madrugada, Eduardo estava deitado no sofá da sala do chefe dos investigadores quando o telefone tocou. A telefonista anunciava a chegada ao Departamento de um advogado que queria falar com Maurício sobre uma ocorrência daquela noite na Fernão Dias. Eduardo o atendeu e disse que o colega estava indisposto.

– Vinte milhões, e o caminhão é seu, com tudo dentro – disse Eduardo, apressando-se em encerrar o assunto. O advogado apreciou a objetividade do investigador.

– Já pagamos para uns PMs rodoviários liberarem a carga numa base perto de Limeira. Esse valor pode ser negociado?

– Tem recibo do pagamento? Quem paga mal, paga duas vezes.

Acertaram o valor final em quinze milhões. Com o mercado cobrando cinquenta reais pelo grama da cocaína, o preço cobrado era justo.

O dinheiro chegou numa van Topic envolto em sacos plásticos. Levou a perua até o sítio, pegou o caminhão, dirigiu-o até um posto de gasolina à margem da rodovia Imigrantes e o deixou lá estacionado, com a chave na ignição.

Em menos de uma semana foi publicada a remoção de Eduardo para o 27º DP e de Maurício para a Homicídios. Rigorosamente dividido o lucro apenas entre os dois tiras, ficaram ricos sozinhos, um ato imperdoável para os chefes...

Do incidente, restou para Maurício o deambular torto de passo recalcitrante. Para Eduardo, um trinta e oito cano curto.

Adendo à oitiva

Não foi preciso muita insistência para convencer Maurício a levar Eduardo e Rodrigo até a sala da 1ª Equipe da C-SUL. A única objeção foi a de que não se envolveria com aquilo.

– Não me interessa o que você quer com eles. Só não quero que espirre merda em mim, Edu. Se alguém perguntar o que vocês estão fazendo aqui, digam que vieram falar comigo porque estão interessados em trabalhar no DHPP. Tome cuidado com o que vai falar, senão quem acaba tomando no cu sou eu.

O número de pessoas havia crescido pelos corredores. Além dos policiais, destacavam-se as mulheres bonitas que carregavam blocos de anotações ou gravadores nas mãos delicadas de unhas bem cuidadas. No mesmo tumulto, homens usando coletes de pescador carregavam câmeras nos ombros, à espera do sinal para começarem a gravar. Maurício não disfarçava o desconforto:

– Caralho! Quem deixou essa gente entrar aqui? Não te falei, Edu? Os delegados estão mais preocupados em sair na revista *Caras* do que em levar a investigação a sério. Tudo é um teatro, meu amigo. Um grande teatro.

Escondida na multidão, Rodrigo viu a jornalista que os abordara na entrada do prédio. Quando notou que estava sendo observada, sorriu com um bom humor raro naquele lugar e aproximou-se para comentar a bagunça que a imprensa fazia.

Eduardo não demonstrou interesse na observação da mulher. Continuou seguindo Maurício, que abria caminho com o impulso de sua barriga.

Quando percebeu, Rodrigo havia ficado para trás; preferiu as piadas da repórter de peitos duros.

– Esse daí começou mal. Não pode ver uma bucetinha arrepiada que deixa o serviço para trás. Que bosta de tira você me arrumou, Edu.

O investigador não quis discutir as qualidades de Rodrigo.

Maurício entrou sozinho numa sala e pediu para Eduardo aguardá-lo do lado de fora. Este não pôde deixar de notar Rodrigo no final do corredor, ainda numa conversa empolgada com a repórter. O jovem também olhou para Eduardo com certo constrangimento; sua vontade em acompanhar o parceiro na conversa com Suzane era muita. Só perdia para o incontrolável desejo de percorrer o corpo da repórter com a língua.

Para aliviar a angústia do garoto, Eduardo fez-lhe sinal com a mão, incentivando a abordagem. Agora ele era tira do DHPP e podia desfrutar do título que tanto encanta as mulheres. Rodrigo, mesmo de longe, agradeceu com um gesto discreto. Ambos entendiam a situação.

Maurício abriu a porta bruscamente, chamando a atenção de todos no recinto com seu corpanzil.

– Seguinte, Edu: a mina só veio aqui para completar a oitiva que ela fez esta semana. Parece que só hoje deu pela falta de uma chave e uma arma. O serviço não é da minha equipe; só vou dar uma força para a C-SUL para ver se ela cansa um pouco e abre o bico depois. Você vem comigo.

– Vai ter advogado?

– Não. O anel tá conversando com o delegado e o promotor em reservado. Eles não sabem que estaremos com ela. Nossa conversa será informal, Edu. Apenas para encher o saco da menina, entendeu? Não vai me foder com conversa de tiragem, hein? Se der alguma pica eu mesmo te prendo, filho da puta!

Maurício mostrava-se eufórico com o que iriam fazer. Eduardo entendia aquele brilho nos olhos de quem sente prazer.

– Já que não ganho dinheiro nessa porra de DHPP, eu tenho o direito de me divertir um pouco.

O cheiro do outro

– Moço, posso beber água?

Não era a mesma menina que Eduardo encontrara antes. Ela, sentada em frente à mesa, parecia mais doce, com um sorriso simpático que quase os comovia. Suzane reconheceu o investigador e pediu desculpas pelo modo agressivo como o tratara no primeiro encontro.

O mal-estar tinha se desfeito. Eduardo perguntou se queria água gelada, e ela respondeu que sim.

– Tá muito calor aqui. Tô queimando. – Suzane abanou as mãos em frente ao rosto e, com biquinho, soprou para longe o ar que chamou de quente.

Maurício se ofereceu para abrir as janelas. Eduardo estranhou a ideia, porque o ambiente estava bastante frio para deixar o vento gelado entrar na sala. Mas não se opôs.

O sopro frio invadiu a sala, acompanhado de uma chuva fina, quase imperceptível aos olhos.

Alguns papéis sobre a mesa ameaçaram voar e foram impedidos pela mão de Eduardo.

– Meu nome é Maurício, sou investigador. Esse é o meu parceiro...

– Eduardo – antecipou-se Suzane.

– Ué! Vocês já se conhecem?

Eduardo explicou ao amigo sua ida à casa de Suzane para "complementar o BO do distrito". Maurício apenas levantou a sobrancelha, sem demonstrar interesse na história.

– Então hoje você percebeu que tinha sido levado dinheiro e uma arma?

– É. Eu já falei isso para os outros policiais. Preciso repetir?

– Infelizmente, sim. – Suzane mostrou-se visivelmente insatisfeita em ter que reproduzir o que já tinha dito.

– Depois que a polícia foi embora, eu senti falta de oito mil reais, cinco mil dólares, mil euros, uma chave da casa e um revólver calibre trinta e oito preto. Mas seus amigos me disseram que a arma não foi roubada; ela estava no quarto, ao lado dos meus pais, e foi apreendida por vocês, né?

Os investigadores confirmaram com a cabeça. Eduardo se lembrava do revólver jogado ao lado de Manfred; só não sabia que ele pertencia ao morto.

– Onde o dinheiro costumava ficar?

– Trancado numa pasta marrom na biblioteca, junto com a chave. Posso fumar?

A menção ao cigarro fez Eduardo enfiar a mão na jaqueta e tirar um maço dos seus. Conhecia bem Maurício, e sabia que ele odiava que fumassem em sua sala. Por isso, após entregar um cigarro a Suzane e acendê-lo com seu isqueiro, ofereceu também ao colega, sorrindo com escárnio. Quase pôde ouvir o palavrão que Maurício proferiu em pensamento.

Aproveitou para acender um para si também.

– O senhor também fuma Free? Isso é tão raro entre os homens, né? Dizem que é cigarro de bicha.

– Pois é. Ele sabe do que gosta. – Era a vingança de Maurício à zombaria do amigo. Suzane gostou da piada e gargalhou com seus lábios vermelhos.

– Que chave era essa, Suzane?

– Uma chave mestra. Do tipo que abre todas as portas.

Não era a primeira vez que Eduardo ouvia falar naquela chave mestra. Fátima, a empregada, comentara que Manfred mencionara o desaparecimento do objeto que estaria preso ao chaveiro dele. Uma das duas estava mentindo.

— A chave era do seu pai?

— Sim. Era uma reserva, para o caso de algum de nós perder a nossa original. Como esta aqui. — Ela levou a mão à bolsa e tirou dali um molho com algumas chaves. Selecionou apenas uma com os dedos indicador e polegar e mostrou-a aos policiais.

Maurício e Eduardo mostraram curiosidade pelo utensílio de metal. Uma peça como aquela era rara e cara. Poucas famílias dispunham de dinheiro para ter uma igual.

— Todos os moradores da casa têm uma igual a essa? — Eduardo levantou a chave contra a luz para observar melhor as ranhuras, como se entendesse de seu mecanismo.

— Sim. Todos nós.

— Seu pai também?

— Sim, ué?! — Suzane estranhou a pergunta de Eduardo. — Quer dizer, a não ser que ele tenha perdido, ou alguém tenha roubado.

— Acha que ele daria falta da chave se tivesse perdido ela?

— Não sei. Ele era bastante meticuloso com as coisas dele. Acho que sim. Como vou saber? Cadê meu advogado?

— Ele está conversando com o delegado e o promotor. Podemos chamá-lo, se quiser. Mas fique tranquila, Suzane. Isso não é um interrogatório, não estamos anotando nada. É apenas uma conversa de praxe; você não precisa falar com a gente. Estamos aqui só pra te fazer companhia. Quer que eu o chame?

Uma das características de Maurício era resolver as crises que lhe apareciam de súbito. Quando tudo parecia perdido, agia com precisão para impedir que o problema crescesse.

O blefe funcionou, e Suzane, mais tranquila, respondeu que não era preciso a presença do defensor. Se não acreditasse no investigador e chamasse seu advogado, Maurício e Eduardo não teriam motivos para continuar na sala. Ela voltou a beber o que sobrou da água gelada no copo suado.

– Seu namorado está abalado? – Eduardo não queria perder a chance de continuar. O parceiro, mais prudente, manteve-se quieto. Era necessário mostrar que estavam ali para ajudá-la, sem a pressão típica de interrogatórios. Colocou um par de óculos que tirou do bolso da jaqueta e passou a mexer no computador da mesa.

– Bastante. Ele gosta muito da minha família.

– Eu vi como ele se dá bem com o Andreas.

– Sim. É quase um pai para meu irmão. Os dois e o Cristian vivem mexendo em motos. Até compraram uma Mobilete em sociedade.

– Cristian? Esse eu não conheço.

– Meu cunhado, irmão do Daniel. Ele é mecânico de motos. – Suzane não estava bem certa se a profissão de Cristian era essa.

– Onde é a oficina dele? – Maurício interferiu na conversa. Sem tirar os olhos da tela, continuou a partida de paciência no computador como se aquilo fosse mais importante que todos ali.

– Ele não tem oficina – Suzane respondeu para Eduardo, ignorando Maurício –, compra, vende e arruma motos pra amigos por aí.

– Ele frequentava sua casa?

– Não. Só ia quando meus pais não estavam lá.

Um apito tocou na cabeça de Eduardo. Comprar, vender e consertar motos sem um estabelecimento próprio era coisa típica de ladrão de veículo. Por mais que essa ideia lhe parecesse conveniente, tinha que manter-se calmo para não demonstrar a suspeita. Maurício, por certo, também compartilhava da mesma desconfiança.

Eduardo passou a sorrir:

– Sabe, Suzane. Dá gosto esse amor que você e seu namorado sentem um pelo outro. É tão raro hoje em dia casais apaixonados, que ignoram as diferenças para viverem uma grande paixão, não é não, Maurição?

– Ô!

– Não me leve a mal, mas dá um pouquinho de inveja de vocês. Que bom que você tem alguém tão especial ao seu lado nesse momento tão difícil.

Suzane agradeceu os elogios com um sorriso de carinho. A alegre expressão de seu rosto acompanhou cada palavra de apreço de Eduardo, como um afago.

– Esse sentimento de descoberta que vocês dois estão passando agora é tão bom. Quando a gente fica velho e mal-humorado, cheio de manias, esquece como é a paixão. O coração endurece, perdemos a paciência com as pessoas. Desaprendemos a dividir a vida com os outros. Acho que me apaixonei assim apenas uma vez na vida... você me entende, né? Essa coisa de querer a todo momento estar perto do outro, de sentir o cheiro, o gosto, a voz... É sim. De dar inveja... não é não, Maurição?

Maurício não entendeu a conversa sem sentido do parceiro. A falta de objetividade não era típica de Eduardo. Tanto rodeio assim devia ter algum motivo. Sabia que ele queria chegar a algum lugar e estava curioso para entender o fim daquela conversa mole.

– Nem me fale...

– A sua namorada te abandonou? – A pergunta de Suzane surpreendeu Eduardo. Ele teve certeza de que ela estava começando a entregar-se.

– Eu era pobre, Suzane. Quer dizer, não era miserável, mas não tinha onde cair morto, como, aliás, como sou agora. A menina fazia medicina na USP, tinha carro, morava sozinha, tudo bancado pela família... E eu era um tira sem tostão nem pro cigarro. Mas foi uma coisa louca, de doença, mesmo. A gente se via todos os dias, queria se beijar a todo momento... como era linda aquela menina. O corpo perfeito, cabelão ruivo, cacheado, pele branquinha e olhos muito azuis. Os pais eram suíços. Quando descobriram que estávamos namorando e fazendo planos de morar juntos, mandaram ela para a Europa. Nunca mais eu a vi.

Quase não se ouvia a voz de Eduardo ao final da exposição. Suzane acompanhou sua história com pesar. Compartilharam o silêncio da sala, como se ambos conhecessem a mesma dor do abandono.

– Eu acho que as diferenças existem para serem superadas, principalmente quando se tem a força do amor para ajudar. – O lugar-comum da frase de Suzane fez Maurício deixar de lado o computador para pensar num palavrão que envolvesse testículos e falta de paciência com mulheres. – Meus pais também reclamavam que o Daniel é de uma origem socialmente inferior, mas isso, para mim, nunca importou. O que vale é aquilo que a pessoa é por dentro.

– Eu chorei feito criancinha quando ela foi embora. Parecia um tonto: a arma pendurada na cintura e chorando pelos cantos porque tinha sido abandonado pela namoradinha. Até hoje tenho vergonha disso. Parece que as pessoas têm raiva de pobre. Não! Não é raiva... parece nojo. Na época, eu até pensei em largar a Polícia, fazer faculdade e ganhar dinheiro para deixar de ser visto assim.

– Besteira. Você é um homem honesto e tem que se orgulhar disso. Olha o que aconteceu com meu pai. Tanto dinheiro, tanto sucesso...

– Acha que seu pai foi morto por causa do dinheiro? – A pergunta de Maurício aconteceu em momento oportuno. Suzane ouviu, mas continuou ignorando a presença dele.

Eduardo não quis esperar para ouvir a resposta. Foi até o bebedouro, encheu um copo de água para si e tomou. Absorvido em seus pensamentos, olhava o fundo do líquido como se procurasse a moça ruiva que o teria abandonado por ordem do pai.

– Acho que sim. Mas não acredito que foi um roubo simples.

Os investigadores fizeram esforços para não demonstrar o espanto que a declaração de Suzane tinha provocado. Instintivamente, sabiam que transparecer o desejo de ouvir era um erro. Uma vaidade típica da inexperiência de tira em início de carreira. A interferência, nesse instante, deveria ser a mais neutra possível. No máximo, deveriam contar com a sorte. Ficaram felizes por Rodrigo não tê-los acompanhado.

Eduardo olhou para Suzane tentando não julgá-la, deixando claro que eram apenas dúvidas:

– Eu já falei para o delegado, mas ele não deu muita bola para isso. Quem sou eu para dizer como a Polícia deve trabalhar...

– Do que você está falando, Suzane?

– Meu pai era o responsável pelo caixa dois do governo. Um lance de corrupção. As obras do Rodoanel... tinha muito dinheiro envolvido, e ele não gostava de como as coisas estavam sendo feitas.

– Sabe que isso é muito grave, né? – Eduardo se aproximou da moça, sentando à frente dela.

– Claro. Por isso achei estranho vocês não estarem investigando isso.

– O Manfred conversou com você sobre o esquema?

– Ele tinha contas abertas em bancos na Suíça. Uma até em meu nome. – Suzane abriu a bolsa, de onde tirou um papel com números escritos à mão. – Uma delas é essa aqui, ó. Até escrevi para vocês pesquisarem, mas ninguém ligou para o que eu disse.

Eduardo leu um numeral de muitos dígitos e barras, seguido do nome de um banco escrito em inglês.

– Esse banco mudou de nome. Uma vez ele me disse que odiava o que fazia. Sempre foi muito correto, coisa da criação nobre que teve. Mas se envolveu tanto com a sujeira que não tinha mais como sair. Nós iríamos nos mudar para a Europa no ano que vem se ele não... estava planejando abandonar toda essa situação.

Os investigadores já não escondiam a inquietação. Pela primeira vez, as frágeis suspeitas de Eduardo de que o homicídio tinha relação com o envolvimento do governo em superfaturamento de obras públicas tomavam corpo. Para Maurício, a história que Suzane acabara de contar era novidade. A gravidade das acusações da menina o fez abandonar o computador. Estava pronto para perguntar algo mais incisivo, se a porta não tivesse sido aberta pelo delegado e o advogado:

– Quem são vocês? – Paulo, dr. Paulo, o advogado de Suzane, não era tão jovem quanto aparentava. Apesar de ser mais velho que qualquer um dos dois investigadores na sala, a vasta cabeleira sempre preta à custa de tinta e o corpo modelado pela ginástica diária rejuvenesciam-lhe a aparência. Era do tipo que só saía de casa besuntado de protetor solar. Não tinha rugas nem barba. A pele muito lisa escondia as linhas imperceptíveis da cirurgia plástica. Com aspecto imponente por causa da postura sempre ereta, ele conseguia ser mais alto que Maurício.

– São investigadores daqui, doutor. Estavam apenas fazendo companhia para Suzane. – O delegado adiantou-se em aplacar a irritação do advogado. – É perigoso deixar alguém emocionalmente abalado sozinho nessas salas geladas do DHPP.

Maurício sorriu para os homens que acabavam de entrar na sala e se ofereceu para passar um café novo. Ainda com os olhos no monitor e movimentos rápidos do *mouse*, comentou que um tira só seria aceito no Departamento de Homicídios se soubesse fazer café forte, mas sem ser amargo. Um desafio, considerando a péssima qualidade do pó que a Polícia fornecia.

– Claro que, se o polícia tiver um QSA que forneça um pó de primeira qualidade, já pode se considerar um dos nossos. – Maurício interrompeu o raciocínio quando percebeu que todos o observavam em silêncio. – Eu estou falando de pó de café. Só para não haver dúvidas.

– Vamos, Suzane. – O advogado não achou graça na piada do investigador. Chamou a menina para irem embora sem demonstrar disposição para brincadeiras.

Suzane se despediu. Logo que ela saiu pela porta junto com o advogado e o delegado, Maurício voltou ao seu temperamento tão conhecido:

– Caralho, Edu. Sacou a malandragem da menina?

Um inesperado Rodrigo entrou na sala. O cheiro de perfume feminino caro que trazia nas roupas o denunciou:

– Porra, moleque. Não podia esperar um pouco para comer aquela biscate da repórter? Mal chegou ao DHPP e já foi marcar território por aí?

Rodrigo olhou para a camiseta e notou o pequeno amassado da gola. Passou a mão para tentar alisar os vestígios do ato clandestino que acabara de cometer; mesmo com a bronca de seu novo chefe, ponderou que o risco tinha valido a pena.

– Pelo menos ela mete gostoso? – O tom da pergunta de Maurício não era diferente daquele que usava quando conversava com criminosos. Por isso, era difícil entender se estava irritado ou se divertindo com o medo que sabia impor.

– O Maurício tá com inveja de você, Rodrigo. Na nossa idade, as repórteres só dão pra gente por interesse em notícia, não por tesão.

– Vá à puta que o pariu você e suas histórias de inveja. Que bosta, Edu... descobri que não tenho o menor jeito para trabalhar na Homicídios. – A decepção de Maurício parecia sincera. – Essa história de ficar passando a mão na cabeça de bandido pra tirar serviço não é pra mim.

– Deixa de ser tonto, Maurício.

– É sério, porra. Eu lido com bandidos de verdade. Meu negócio é pendurar, torcer, espremer... só que não tem mais espaço pra mim nessa Polícia de hoje em dia. Investigar homicídios é fazer essa canalhice que você fez com a Suzane. Porra, até eu acreditei na história da ruivinha da USP. Se não te conhecesse de verdade ia te chamar para tomar um vinho lá em casa qualquer dia desses.

Rodrigo estava confuso com os dois colegas. Os assuntos mudavam repentinamente de direção, e não era sempre que entendia os rumos daquela conversa rápida.

Estava feliz. Acabara de ser recebido no Departamento de Homicídios e tinha comido uma repórter de bunda empinada e meia-calça nas escadas do prédio. Tanto sucesso em pouco tempo talvez tivesse incomodado os velhos investigadores. Manteve o semblante sério para não esbanjar o contentamento que sentia.

Por um momento, chegou a duvidar de que sua transferência para o DHHP se concretizasse. Por mais que confiasse em Eduardo, ocorreu-lhe que a mera palavra de Maurício não fosse garantia tão robusta, capaz de atropelar a autorização de seus superiores.

A insegurança foi esquecida ao ouvir a gravação de uma voz feminina reproduzida pelos alto-falantes do computador em que Maurício estava:

"Meu pai era o responsável pelo caixa dois do governo. Um lance de corrupção. As obras do Rodoanel... tinha muito dinheiro envolvido, e ele não gostava de como as coisas estavam sendo feitas..."

O jovem não reconheceu a dona da voz, mas dado o clima da delegacia e o fato de ela mencionar as palavras "pai" e "Rodoanel" em contexto que envolvia crime, só poderia tratar-se de uma pessoa.

"Ele tinha contas abertas em bancos na Suíça. Uma até em meu nome. Uma delas é essa aqui, ó. Até escrevi para vocês pesquisarem, mas ninguém ligou pra o que eu disse..."

– Você gravou? – A reação de Eduardo era de agradecimento.

– Prova clandestina só dá cadeia pro polícia. – Maurício tirou um CD do gabinete do computador e o entregou para Eduardo. – Descobrir quem é o culpado do crime não é difícil, porque o serviço a gente sempre derruba. O foda é explicar pro juiz como chegamos lá. O cunhado da Suzane, por exemplo, é um cabriteiro. Tenho certeza! Se alguém apertar esse moleque no pau de arara, vai descobrir muita merda sobre roubo de motos e, inevitavelmente, isso pode ajudar a levantar mais coisas sobre o homicídio. Por isso, se você está achando que pode usar essa gravação dentro de um inquérito, esqueça!

Eduardo guardou o disco prateado no bolso da jaqueta, ao lado do papel com o número da conta e nome do banco escritos por Suzane.

– Mais uma coisa, Edu. Pra mim, essa história de caixa dois é fumaça da Suzane.

– Mas ela deu o número da conta, o nome do banco...

– Porra! Você parece que entrou ontem na Polícia. Não duvido que o pai dela fazia caixa dois para o governo, mas isso não foi o motivo da morte. Além disso, se a investigação se desdobrar para crime de corrupção, isso vai acabar espirrando no governador. Aí, meu amigo, já pensou no caos que vai virar a Polícia? O que vai ter de diretor caindo. Não existe delegado macho nessa Polícia para segurar essa bronca, não. Aqui só se prende quem é contra o partido.

– Isso não é pra pôr ninguém na cadeia. É só pra garantir meu sossego no 27º.

– E mesmo que o DHPP descubra algo que envolva o governador, vai lavar as mãos e fazer vista grossa. O diretor não vai querer perder o showzinho que a mídia tá fazendo. Não vai abrir mão disso por nada. Lembre-se: quem investiga o chefe do executivo estadual não é a gente. É a Justiça Federal. E se meu diretor cair, onde eu vou trabalhar? Contigo numa merda de plantão de distrito?

Maurício considerava a obsessão de Eduardo de trabalhar naquele distrito policial uma idiotice. Não entendia os motivos que o faziam arriscar-se em investigações ocultas que poderiam custar-lhe o emprego. Se não era pelo dinheiro, só poderia ser pelo prazer de invadir a vida alheia, o mesmo sentimento que acabara de compartilhar ao ter conversado com a suspeita mais famosa do momento.

Com as informações que ajudou a conseguir para Eduardo – mesmo que não fossem verídicas –, tinha certeza de que ele seria incapaz de prejudicar a reputação que ambos tinham na Polícia fazendo mau uso delas.

Olhou para Rodrigo e viu um garoto desorientado:

– Este moleque pelo menos tem uma arma, Edu?

Sem dar chances para Eduardo responder, Rodrigo disse que sim. Levantou a barra da calça e sacou orgulhoso o revólver trinta e oito preto de cano curto.

– Foi o Edu que me emprestou.

Uma dor aguda voltou a pungir a cicatriz do ombro esquerdo de Maurício. Afastou com os dedos a barba branca e tocou o ponto fibroso da cicatriz que voltou a latejar. Conhecia a arma que estava nas mãos de Rodrigo.

O garoto não entendeu por que o velho investigador arregalara os olhos, como alguém que encara a morte:

– Ai, minha buceta caralhuda! Ainda tá pra nascer alguém mais filha da puta que você, Edu.

Crime político

Ao rememorar sua vida, à exceção dos tragos no cigarro de maconha, Virgínia não se lembrava de ter sido cúmplice de nenhum acontecimento que pudesse prejudicar alguém. Era uma boa aluna, filha carinhosa e funcionária sem manchas no prontuário.

Mas desde o retorno do passeio na chácara com Cristian, a sensação de ter cometido um mal irreparável abalava sua costumeira tranquilidade.

Não entendia como alguém tão indefesa poderia compartilhar do vergonhoso estratagema que envolveu a morte dos pais de Suzane Richthofen. Ao longo dos dias que se seguiram à confissão do namorado, fez da repetição de sua inocência um mantra diário, na esperança de proteger-se do inevitável.

O namorado nunca demonstrou uma conduta violenta. Pelo contrário. Sabia ser gentil para conseguir pequenos privilégios do relacionamento. Mas se ele foi capaz de abrir a cabeça de um ser humano a golpes de bastão, como a imprensa vinha informando alto e bom som, talvez ela estivesse enganada sobre sua personalidade.

Quando todos descobrissem o doentio enredo da história, acreditava que sua ingenuidade ficaria evidente ao explicar o absurdo de ter se apaixonado por um homem desequilibrado, cuja frieza de caráter lhe permitia circular entre os cidadãos comuns e, ao mesmo tempo, matar alguém sem motivo aparente.

Tanta introspecção acabou por revelar-lhe detalhes do caráter de Cristian que até então haviam passado despercebidos. Fatos significativos que desnudavam quem ele realmente era. E, quanto mais analisava, mais culpa sentia por ter sido tão emocionalmente frágil e por ter-se entregado a um relacionamento que, na verdade, só lhe fazia mal.

Desde o começo as amigas comentavam os modos rudes do novo namorado, sua falta de engajamento com um futuro profissional e os trabalhos suspeitos como mecânico. As colegas começaram a afastar-se.

Imaginou que estivesse sendo vítima de um misto de despeito e ódio das garotas, pois as demonstrações públicas de carinho que ela e Cristian dividiam eram despreocupadas, e isso incomodava aquelas que eram incapazes de conseguir um namorado dedicado.

Essa precisa lembrança foi reformulada. Na verdade, quando notou que as amigas não estavam mais presentes em sua rotina de diversão, a sugestão de inveja veio do próprio Cristian. Sim! Lembra-se perfeitamente da ocasião em que reclamou do comportamento evasivo do grupo, e o rapaz a confortou dizendo que as amigas estavam com inveja de sua felicidade.

Por isso ela não as procurou mais; continuou sua vida apenas com Cristian e deixou de lado as pessoas com quem se divertira por longos anos.

Virgínia concluiu ter sido induzida a mudar o próprio comportamento para agradá-lo, e que isso havia sido uma manobra inteligente do rapaz.

Até o fato de não se declararem em público como namorados foi entendido como uma falha de sua autoestima. Sentia-se envergonhada. O desespero abateu seus pensamentos ao notar o quanto era fraca e sugestionável. Alguém que não se importava em negar sua vida para ser amada. Tudo o que achava ser amor era, na verdade, uma falsa sensação de conforto.

Mesmo o sexo com o namorado, só agora compreende que nunca tinha sido um prazer completo. O desejo que a consumiu durante meses era uma falsa aparência de gozo. Até seu corpo foi iludido pela fraude daquele relacionamento.

Quando o telefone tocou, deixou claro na voz o tom de sua infelicidade:

– Sobe aqui em casa. Estamos tomando uma cerveja com o pessoal.

Embora tenha perguntado como ela estava se sentindo, Cristian tinha motivos para compreender a tristeza da namorada. Virgínia preferiu dizer que estava bem, só um pouco abatida por causa dos telejornais.

O cheiro de maconha no apartamento de Cristian podia ser sentido desde o elevador do prédio. Os vizinhos haviam feito reclamações ao síndico, mas nada conseguia impedir os alegres encontros. Tinham muito respeito pela avó dos garotos, e isso ajudava a não levar a denúncia à Polícia.

Entre meninos e meninas, cinco ou seis pessoas sentadas em círculos no canto da sala, jogadas em almofadas. Suzane dividia uma poltrona com Daniel, sentada em seu colo. Todos receberam Virgínia com sorrisos de boas-vindas, e logo lhe ofereceram o cigarro de maconha que o grupo compartilhava.

A recusa de Virgínia não era comum. Daniel nunca viu a menina dispensar uma tragada, mas não fez ares de censura. Ela estava abalada por saber que seu namorado tinha matado o casal Richthofen, e nada mais natural que aquela reação neurastênica.

Para os outros, era apenas um mal-estar passageiro.

Suzane comentava algo sobre a faculdade em meio a gritos de reprovação e risadas:

– Aí o professor parou a chamada no meio, olhou pra mim e perguntou: "A doutora é parente do Barão Vermelho?".

– O Cazuza? – A amiga que fez a pergunta começou a rir sem controle ao perceber a estupidez de sua colocação.

– Que Cazuza, sua doida! Barão Vermelho era o apelido do barão Richthofen. – A explicação de Suzane quase não foi ouvida entre tantos disparos de risadas. – Tipo assim... peraí, gente. Deixa eu explicar... ele era irmão do meu avô... não... era irmão do meu bisavô... ah, deixa pra lá. O que interessa é a pergunta do professor no meio da aula. Todo mundo riu de mim...

Cristian colocou a namorada sentada no chão e aninhou a cabeça nas coxas dela. Como se estivessem regidos por uma batuta invisível, as risadas pararam. Virgínia foi a única a estranhar o sincronismo do silêncio. Todos estavam com olhos avermelhados e pequenos, quase cerrados.

– Deve ser legal ter família nobre... – Quase ninguém ouviu a frase de Virgínia. Apenas Suzane, que respondeu com um sorriso imparcial. – Você não está com medo, Suzane?

– Medo do quê?

– De te pegarem.

– De quem me pegar? O ladrão?

Era impossível não ignorar o mal-estar que a pergunta de Virgínia tinha causado.

– A Polícia me garantiu que as pessoas que fizeram isso não vão mais voltar.

– Não tem mais perigo. Os ladrões já levaram o que queriam. – Daniel mostrou convicção ao ajudar a namorada a explicar que o pior já passara. Os amigos não duvidaram da segurança do casal.

Virgínia estava pronta para aliviar seus temores e dizer que sabia da terrível mentira. Seria forte, direta, como deveria ter sido desde o começo, quando conheceu Cristian, Daniel e Suzane.

Sentado no sofá, no outro lado do cômodo, viu Andreas assistindo à televisão. Estava mudo, como sempre fora, mas a encarava como se observasse Virgínia desde sua chegada.

– Ela quer dizer se você não tem medo de ser presa pela Polícia, Su – o garoto voltou-se para a TV, como se tivesse dito uma obviedade que não merecia comentários.

Suzane aspirou profundamente o silêncio que se abateu sobre a sala.

Virgínia desviou o olhar. Como um animal perseguido pelo predador, tentou encontrar refúgio ao lançá-lo pelas paredes, nos móveis e em Cristian. Mas o namorado não a acolheu como ela esperava. Parecia mais ofendido que a própria Suzane.

Restou a ela balançar negativamente a cabeça para deixar claro que nunca pensara em acusar ninguém.

– Eu vi a sacanagem que a imprensa tá fazendo com você, Suzane. Uma falta de respeito com o sofrimento das pessoas. – A amiga que tinha confundido a banda de rock com o piloto da Primeira Guerra Mundial conseguiu formular a frase sem a dificuldade de raciocínio de minutos antes.

Houve um espanto entre os presentes. Não se soube ao certo se por causa da insensibilidade da menina em tocar no assunto de modo tão direto ou se por um repúdio coletivo à desconfiança que os repórteres vinham imprimindo nos jornais. Queriam protegê-la do sofrimento ocasionado por uma grande mentira.

– Isso já tá resolvido com a Polícia. Podem ficar sossegados. Eu e a Suzane estamos fora de suspeita. Eles sabem que o crime foi uma queima de arquivo porque o pai da Suzane fazia parte do esquema de corrupção do DERSA.

A tarde foi muito longa para Virgínia, e, quando ela quis ir embora, Cristian não lhe pediu que ficasse mais um pouco, porque era o que ambos queriam.

Campana

Eduardo quase não ficou no distrito no plantão daquela manhã. Logo que se apresentou ao serviço, seu delegado, Rubens, foi reclamar da transferência de Rodrigo para o DHPP. Apesar de inexperiente, a perda do jovem investigador foi sentida, porque era certo que o delegado não receberia um novo componente para sua equipe tão cedo.

Culpou Eduardo por ter conseguido a remoção do parceiro, e que isso traria prejuízos para o bom andamento do trabalho.

O tira recomendou ao delegado que não se preocupasse. Explicou que também gostava de Rodrigo, mas, com a chegada do novo titular ao DP, todo mundo estava arriscado a ser transferido para lugares que não desejava. Por isso deveriam ser rápidos em arrumar novas colocações.

– Para o senhor, se quiser, posso arrumar um lugar no CEPOL. Não terá serviço algum, só vai cuidar do rádio e das mensagens, além da papelada chata de sempre. Vai trabalhar três vezes por semana, sem precisar lidar com público nem fazer BOs. Pode dormir a noite inteira, ou estudar. O que acha?

Rubens agradeceu a oferta, dizendo que era tudo o que sempre quisera na Polícia: um lugar onde pudesse estudar com tranquilidade. Eduardo disse ainda que, para conseguir isso, seria necessário se ausentar naquele dia, no que foi prontamente atendido.

O investigador estacionou seu carro próximo à casa de número 422 da rua Graúna, no bairro de Moema, a uma distância segura para não ser percebido por seus moradores.

Cravinhos, que Eduardo já conhecia, saiu algumas vezes de carro, e uma senhora apareceu na varanda de grades brancas. Daniel partiu em seguida, num Pálio.

Pouco antes das dez horas, um rapaz muito parecido com os moradores da casa chegou numa motocicleta Suzuki de alta cilindrada. Na garupa, uma moça agarrada ao corpo dele. Quando desceu, ela fez menção de abraçá-lo antes de entrar na casa.

Aquele só poderia ser Cristian, sobre quem Suzane havia comentado. Anotou a placa de todos os veículos que viu e pesquisou suas informações pelo CEPOL.

O carro de Cravinhos estava regularmente registrado em seu nome. O Pálio de Daniel, financiado, não pareceu suspeito.

Já a moto de Cristian tinha como proprietário a loja de motos Motovelox.

Não eram informações que indicassem algo de errado. Se estivesse acompanhado de um bom parceiro, poderia conduzir Cristian para o distrito e tomar seu depoimento para levantar a origem da moto que conduzia.

O celular tocou. Era Sandra, a secretária, dizendo que um dos motoboys da empresa queria conversar.

– Sandra, resolve isso para mim. Estou trabalhando.

– Pois é sobre o trabalho do senhor que ele quer conversar, seu Eduardo. Se o senhor me der uma arma e um distintivo, eu resolvo isso. Tô louca para pôr a loirinha na cadeia.

A valentia da secretária mexeu com a curiosidade de Eduardo sobre a natureza do assunto misterioso. Além disso, Sandra armada deveria ser mais competente.

Era o tipo de mulher que ele não reclamaria de ter como parceira de investigação.

A FAZENDÁRIA

Quando Sandra entrou na cozinha do escritório naquela manhã, o cheiro de café indicava que o chefe Eduardo finalmente aparecera. Como era o hábito, entrava pela porta dos fundos, sem anunciar sua chegada.

Preparava uma garrafa de café no coador de pano e deitava no espaçoso sofá que comprou para o cômodo.

– Bom dia, seu Eduardo.

O investigador mal ajeitava o corpo amarrotado, e Sandra já lhe adiantava a documentação da empresa de radiotáxi. Ele não precisava pedir explicações sobre a movimentação financeira, nem era por isso que estava ali.

Mas a secretária não poderia perder aquela rara oportunidade de conversar pessoalmente com o chefe.

Ele fazia perguntas gerais e confiava na administração da mulher, que sempre acabava por encontrar a melhor solução para os problemas.

O que lhe interessava era conhecer o nome dos taxistas e motoboys que lhe prestavam serviços. Fazia questão de pesquisar o número do RG de todos os funcionários no sistema da Polícia para certificar-se de que nenhum deles foi alvo de investigação ou teve passagem pela cadeia.

– O plantão está cansativo, seu Eduardo?

Os motoristas eram seus melhores informantes. Como prestavam serviço para muitos escritórios de advocacia, eles acabavam por descobrir detalhes inconfessáveis sobre demandas judiciais e crimes nas viagens dos advogados até os fóruns.

Eduardo gratificava os melhores relatos com abonos generosos e deixava sempre clara a demissão certa para aquele que deixasse escapar a algum cliente quem era o verdadeiro proprietário da frota.

Naquele dia, conforme os motociclistas iam voltando das viagens de entrega, Eduardo os recebia no refeitório com uma farta mesa de almoço que conseguira no restaurante de um amigo com a desculpa de que a comida seria servida aos policiais da delegacia. Enquanto comiam, os serviços de entrega eram agendados e distribuídos entre os rapazes.

– Seu Eduardo, e aquela boca de fumo perto da minha casa? O negócio deles tá crescendo.

– Vou falar com a PM para colocarem uma viatura na porta do lugar. Se não fizerem isso, eu mesmo vou estacionar lá com a barca. Me avise se eu esquecer.

O chefe tinha memória irregular. Comentavam entre si as desculpas que usava quando não conseguia atender aos pedidos de ajuda de maneira eficaz.

Uma coisa era certa: ele nunca deixava de ajudá-los, mesmo que não fosse da forma prometida. Uma providência qualquer sempre era tomada.

Um motoboy de cara fina o chamou para uma conversa reservada numa das salas.

– Já prenderam a loirinha que matou os pais, seu Eduardo?

O investigador explicou que, apesar de a imprensa alardear que Suzane era culpada do crime, ainda não havia nada de concreto sobre isso. Tudo não passava de especulação de jornalista. Além disso, a investigação não era dele, mas do DHPP.

– Ah, seu Eduardo. Esse DHPP então é muito fraco. Ontem conversei com o Oscar, dono da Motovelox, a loja onde compramos a Titan do Lúcio. O homem falou que o cunhado da Suzane apareceu por lá na manhã seguinte ao homicídio, comprou uma Suzuki 1100 e pagou em dólar.

– Dólar?

– Sim. Dinheiro vivo. Parece que a motoca custou treze mil.

– Se bem que o moleque é novo e solteiro. Pode fazer essas loucuras.

Eduardo tentou minimizar o valor da informação. Ninguém, além dele, precisava saber quanto aquilo era importante. E ele saberia demonstrar sua gratidão no fim do mês, no dia do pagamento do rapaz.

O motoboy ficou frustrado com a pouca empolgação do investigador diante da informação. Esperava que ela merecesse alguns reais, mas a reação de Eduardo não indicava isso.

– Vou dar uma olhada nisso e depois conversamos.

Não viram o chefe ir embora. Saiu sorrateiro. Só se despediu de Sandra, recomendando que não tirasse os olhos dos motoqueiros mais jovens.

No caminho para a Motovelox, ligou para o delegado Rubens e perguntou como estava o plantão:

– Uma calmaria. O sistema saiu do ar, e o titular foi viajar.

Era a resposta que Eduardo desejava ouvir. Pediu ao delegado que pegasse a viatura e o encontrasse na loja de motos, que não era muito longe do distrito. Rubens estava temeroso das intenções do colega.

– Já dei alguma mancada com o senhor? Fique tranquilo. Será sua última diligência no 27º. Depois disso, o senhor vai dar plantão só no CEPOL.

Quando Eduardo entrou na loja de motos, um homem veio recebê-lo com sorriso de vendedor. Mostrou onde estava Oscar, sentado a uma mesa no fundo do estabelecimento.

Ao anunciar-se como investigador de polícia, o proprietário da loja foi rápido:

— A Fazendária já veio aqui esta semana.

— Não sou da Fazendária, sou do 27º, aqui do bairro. O senhor fez negócio com uma pessoa chamada Cristian Cravinhos?

Oscar coçou a cabeça com o dedo indicador. Resmungou algo sobre o azar de conhecer aquele nome.

— Sabia que esse moleque ia me dar problema.

— Não há com que se preocupar — disse Eduardo.

Oscar já sabia o assunto que tratariam, e deixou claro que era apenas um comerciante. Apenas isso.

— O moleque apareceu aqui cheio de notas de cem dólares nas mãos.

— O senhor sabia que ele é cunhado da Suzane?

— Na hora, não. Depois me disseram que ele era parente da menina e fiquei preocupado. Só fiquei sabendo do crime na hora do almoço, quando assistia ao jornal. Quando descobri que os bandidos tinham levado dólares da casa da família morta percebi que havia algo estranho.

A acusação de Oscar era clara, apesar de não querer imputar diretamente a Cristian a culpa que ele certamente teria.

— Ele disse onde tinha conseguido os dólares?

— Eu não perguntei. O rapaz estava nervoso. E ainda pediu para a nota fiscal e a papelada da transferência ser feito em nome de outra pessoa.

— Em nome de quem ele comprou?

— De um homem que o acompanhava. O *Cristiano* falou que estava com o nome sujo na praça e que por isso não poderia ele próprio comprar.

O comerciante sabia que a operação de venda que tinha feito com Cristian era proibida. O importante agora era deixar claro que ele não tinha nenhum envolvimento com a menina suspeita de matar os pais.

Uma nota fiscal expedida em nome de quem não era comprador era infração simples de ser resolvida com o fisco. Por outro lado, ser indiciado como coautor de dois homicídios era uma mancha que carregaria para sempre no prontuário policial. Para um comerciante próspero, isso seria motivo de extorsão por parte da Polícia até a falência.

Os dois homens interromperam a conversa quando outro, de terno, entrou na loja. Era o delegado Rubens, confuso sobre o que estaria fazendo ali.

Eduardo foi até o chefe e, enquanto o cumprimentava, explicou o que estava acontecendo.

Rubens não gostou da ideia de participar de uma investigação paralela. Ainda estava cumprindo estágio probatório, não queria pôr em risco sua efetivação na Polícia. Seus planos de prestar concurso para outra carreira o mantinham longe de polêmicas que colocassem seu nome na boca da Corregedoria.

— Doutor, estamos na frente de todo mundo. Sabe o que significa o senhor derrubar um puta trampo desses dando um chapéu na Homicídios? Não estou pedindo para o senhor se arriscar, mas apenas para registrarmos a oitiva deste homem. Depois pode mandar tudo pro DHPP, e eles terminam o trabalho.

— O titular está viajando, Edu. Não vai gostar de saber que estamos investigando no plantão.

— Ele não precisa saber agora. Antes de avisá-lo faremos nosso gibizinho: chamamos a imprensa, o senhor e o titular explicam o que descobrimos... o secretário de Segurança vai adorar...

— Não me fode. Isso é perigoso.

O delegado não estava disposto a pôr em jogo a recente carreira pública. Quanto mais ouvia Eduardo explicar como tudo ficaria bem, mais Rubens compreendia que estava na profissão errada. Nunca teria aquela mesma coragem do investigador para procurar sozinho provas que responsabilizassem o culpado.

– Não se preocupe. Não estamos fazendo nada de errado. Está tudo dentro da legalidade, doutor. Crime seria se não colhêssemos o testemunho deste homem depois de tudo o que ele nos contou.

Finalmente Rubens concordou com a diligência. Levaria Oscar para sua sala do plantão e tomaria seu depoimento. Em seguida, o encaminhariam ao DHPP. Só isso, conforme garantiu seu tira.

Eduardo pediu ao delegado que fossem na frente. Ele iria buscar o homem que emprestara o nome para Cristian comprar a motocicleta. Justificou dizendo que um trabalho de investigação perfeito precisa estar amarrado, sem buracos na história. Por isso ele também deveria ser ouvido no DP:

– Esse cara nem deve saber a merda em que se envolveu, doutor. Nem precisamos saber por que ele fez esse favor ao Cristian. Só precisamos que ele confirme a negociação. Depois, a Homicídios que se vire para descobrir.

– Eu vou perder os dólares? – perguntou Oscar, enquanto buscava os documentos do negócio para entregar aos policiais.

– Só se não conseguir escondê-los dos tiras da Fazendária.

O delegado fitou seu investigador, censurando a brincadeira. Oscar riu. Há tempos sofria com as indesejadas visitas de policiais que vasculhavam sua contabilidade para descobrir algo de errado.

Como nem sempre pagava todos os impostos que o governo exigia para o funcionamento regular da loja, acabava por ceder à concussão dos homens da lei.

Mas Rubens estava nervoso:

– Não me fode, Edu.

– Vai ver só. O senhor vai me agradecer na noite em que estiver de plantão no CEPOL e receber a notícia de que passou no concurso do Ministério Público.
– Tá. Mas até lá, não me fode, OK?

Um homem corajoso

Como o sistema de registro eletrônico dos boletins de ocorrência estava fora do ar, o cidadão que estivesse no 27º Distrito Policial da cidade de São Paulo naquela tarde para usar seus serviços estaria tão bravo por causa da demora no atendimento que não notaria a estranha movimentação na sala dos fundos.

Até os poucos funcionários da chefia que foram trabalhar não perceberam a tensão no rosto de Rubens que, sozinho, tomava o depoimento de um homem há quase uma hora.

Ivan, o escrivão do plantão, foi o único que estranhou o pedido de seu delegado para que não fosse incomodado durante a conversa. Rubens não era o tipo de policial que fazia acertos financeiros com investigados, por isso o pedido causava surpresa ao colega.

Pensou que, finalmente, o jovem delegado aprendera a trabalhar de verdade, e estava ganhando seu dinheiro como todos os outros policiais da corporação. Só não gostou de ter sido excluído das negociações.

Quando Eduardo chegou, deixou discretamente o rapaz que o acompanhava sozinho na sala do delegado. De imediato, Ivan pensou que ambos estavam mancomunados em negociar com suspeitos de alguma investigação, mas, como dependia de favores de Eduardo, alertou-o da possível malandragem que Rubens estaria arquitetando:

– Fique tranquilo, Ivan. Ninguém aqui teria coragem de te dar chuveirada. Se você está na nossa equipe, é porque estamos seguros de que não tem cachorrada entre nós.

Ivan tentou disfarçar o mal-estar que tinha causado. Sua transferência para o 100º DP ainda não estava certa, e contrariar Eduardo não iria ajudar em nada.

Saiu rindo, dizendo em voz alta para as pessoas que estavam na sala de espera que não havia previsão de retorno do sistema. Inconformadas, algumas foram embora. Outras, resignadas, preferiram esperar mais um pouco.

Eduardo achou estranho bater na porta de sua própria sala, mas considerou ser melhor anunciar sua chegada para Rubens.

Oscar, sentado à frente do delegado, tinha terminado de formalizar sua oitiva nos mesmos termos da conversa que tinham tido na loja. O comerciante ficou aborrecido por terem apreendido as cédulas de dólares que recebera de Cristian.

Apesar da garantia do delegado de que a moto seria devolvida, e o negócio, desfeito, o homem foi embora certo do prejuízo que levaria.

– Doutor, não consegui encontrar o homem que emprestou o nome para Cristian comprar a moto.

– Paciência. Vamos acabar com isso e ligar para o DHPP.

– Calma. Tenho algo melhor. Trouxe o Cristian para ser ouvido. Ele está na sua sala e veio com a moto. Caso o senhor queira dar uma olhada, está no estacionamento.

Podia-se ver a saliva escorrer pela garganta do delegado e as pupilas dilatarem. A voz teve dificuldade para sair:

– Tá ficando maluco? – A mudança de humor fez a frase escapar como um grito estridente, o que permitiu que as pessoas que passavam pelo corredor percebessem o descontentamento do homem de terno. Para não levantar suspeitas entre os funcionários sobre o que estavam fazendo, ele precisava ser comedido na conversa: – Isso já foi longe demais. Quer me foder, caralho?

– Ninguém sabe que esse moleque está aqui, doutor. E pense bem: se vamos mandar as informações do Oscar para o DHPP, podemos encaminhar junto com o testemunho do Cristian sobre a origem dos dólares. Deixe ele negar para nós que roubou e matou os Richthofen. Quem vai ter que fazer o trabalho sujo para espremê-lo até dizer a verdade será a Homicídios.

Os motivos de Eduardo eram poucos para convencer o delegado. Colher testemunhos para um caso no qual a mídia estava sedenta de informações, sem o conhecimento do delegado responsável pelo inquérito, poderia justificar a demissão de um policial novato.

– Rubens, no concurso para promotor, você será o único candidato que poderá explicar à banca como resolveu o caso Suzane Richthofen. Quantos concurseiros não queriam estar aqui, no seu lugar, com essa chance nas mãos?

A vaidade foi a fraqueza do delegado. Sua opinião não era sólida o bastante para resistir à imagem que lhe era apresentada – ele, sentado em frente à banca de procuradores explicando aos juristas detalhes da investigação e solução do mais importante homicídio dos últimos anos. Toda a teoria das ciências jurídicas seria deixada de lado pelos avaliadores, que certamente ficariam admirados com a segurança do jovem candidato que vivenciou a experiência de um balcão de delegacia de Polícia.

– Quantos promotores não quereriam estar no seu lugar?

Contrariado, Rubens pediu que trouxesse Cristian para colher sua versão da história. Mas, antes, impôs a condição de não maltratá-lo, tampouco querer arrancar à força a história do homicídio.

Trancaram a porta logo que Cristian entrou. Receberam-no de maneira amistosa e deixaram que se ajeitasse na cadeira atrás do computador. O delegado ficou de pé ao lado do investigador dando-lhe comandos para digitar a qualificação pessoal do rapaz.

Rubens era o chefe, e isso precisava ficar claro desde o primeiro instante.

– Cristian, a moto que está lá fora é sua?

A pergunta do delegado era, antes de uma afirmação, uma acusação. Pensou em negá-la.

– O que isso tem a ver com o caso?

– Só responda, Cristian. É nosso trabalho.

– Não. É de um amigo, como eu já tinha dito para o senhor.

O olhar de Eduardo deixava claro que não estava satisfeito com a resposta que tinha ouvido, então ele interrompeu bruscamente as explicações de Cristian.

– Para, garoto. Essa história você conta para seus pais. Tá vendo isso aqui? – Eduardo abriu sua carteira e mostrou o distintivo prateado. – Somos polícia e já vasculhamos sua vida inteira. Se trouxemos você para cá é porque já sabemos tudo. Mas não quero te foder. Vamos te dar a chance de recomeçar, como se não tivesse mentido para nós. A moto é sua?

O investigador mostrou para Cristian trechos do interrogatório de Oscar, ressaltando as passagens em que confirmava a venda.

O garoto não conseguiu lançar-se contra a palavra do comerciante. Quando confirmou a propriedade do veículo, Rubens passou a questionar detalhes da compra. Data, preço, condições de pagamento... depois de cada informação do rapaz, cantava para Eduardo o que queria que fosse registrado.

– Que inicialmente deseja esclarecer que foi conduzido por policiais para esta unidade policial, e indagado acerca da motocicleta Suzuki, placa BRU 7634/SP, afirma que mentiu sobre ser o verdadeiro dono porque estava com receio de perdê-la... é isso mesmo?

– Sim.

– E por que você estava com medo de perdê-la? – Rubens sentou-se no canto da mesa para observar Cristian de frente. Talvez não fosse proposital, mas seu movimento fez Eduardo sentir-se intimidado e calar-se para novas perguntas.

– Porque eu comprei com dólares – disse Cristian, olhando para o chão, tentando não encarar os policiais.

O delegado deixou o silêncio prevalecer na sala. Para Eduardo, Rubens hesitava em fazer perguntas diretas por medo de ouvir algo mais relevante e obrigar-se com a investigação.

– E onde conseguiu esses dólares?

– Não posso dizer...

– O quê? – A paciência de Eduardo estava no limite.

Acendeu o cigarro que trazia apagado no canto da boca, e uma veia saltou-lhe na testa, pulsando no mesmo ritmo do maxilar, como se estivesse mascando algo mole e consistente.

Para evitar que seu investigador cedesse à raiva que aparentava sentir, Rubens foi rápido:

– Por que não pode dizer?

– Porque não... olha, não tem nada a ver com os pais da Suzane... só não quero dizer. Eu posso escolher não dizer, né?

– Moleque. – Eduardo levantou-se rápido da frente do computador para ajoelhar-se ao lado de Cristian. Rubens, apesar de temer o que Eduardo faria, estava curioso para ver as consequências daquele gesto. – Escuta só, eu vou dizer bem devagar porque você está nervoso e pode não me entender: você está fudido.

– O quê?

– Quanto tempo você acha que vai conseguir segurar a fita? Se o DHPP descobre que você comprou uma moto com dólares na manhã seguinte ao homicídio, sabe o que vai acontecer contigo?

– Nada, ué. É tudo mentira...

– Vão te pendurar a noite inteira, tá sabendo? Você aguenta isso? Já viu um pau de arara na vida? É uma barra de ferro bem grossa assim, que colocam atravessada em dois cavaletes. Depois tiram sua roupa, te penduram de pernas dobradas na barra e amarram seus braços. E vai tomar choque no saco, no cu, na língua... você vai se cagar todo, até esclarecer essa história.

– Eu vou embora. Não sabia que a conversa ia ser essa.

Os policiais não impediram Cristian de levantar-se da cadeira. Não havia como segurá-lo.

– Calma, garoto. Nós só queremos ajudar... – Rubens conseguiu, pelo menos, ser ouvido.

– Me ajudar? Vocês estão me acusando de um negócio que eu não fiz.

– Isso é inevitável, Cristian. – Rubens surpreendeu Eduardo. Não esperava que ele fosse se movimentar para convencer o jovem. – Você deve agradecer que somos nós que descobrimos o negócio dos dólares. A Homicídios está desesperada, não dormem há oito dias atrás de um negócio assim. Vão conferir a numeração das cédulas no Banco Central e vão descobrir que foram trocadas pelos pais da Suzane. E aí, meu amigo, vão fazer isso tudo que o Eduardo disse contra você...

– A não ser que você esclareça antes para nós.

O sincronismo de delegado e investigador estava afinado. Fez ao menos, por alguns segundos, Cristian se interessar pela conversa.

– Eu vou embora...

O movimento de fuga era definitivo. Os policiais perdiam Cristian e ao mesmo tempo punham fim às remotas chances de formalizarem a elucidação do homicídio.

Rubens pensou o pior: agora Cristian sabia que a polícia o tinha por suspeito e poderia fugir. E se descobrissem quem contou a ele que estava sendo investigado, a Corregedoria o demitiria sem misericórdia.

– Cristian – disse Eduardo, segurando o braço do rapaz antes que ele chegasse à porta –, se você não está preocupado com seu bem, seja homem para cuidar pelo menos da segurança da Virgínia.

– O que a Virgínia tem a ver com isso?

Até Rubens queria ouvir aquela resposta, já que não sabia quem era a moça nem qual a relação dela com o crime. Mas o medo estampado no rosto de Cristian indicava que essa era a trilha a seguir.

Eduardo não deixou que respirasse. Passou a falar depressa, balançando o cigarro na boca:

– Vocês estão sempre juntos, rapaz. A Homicídios acha que ela está no rolo com a Suzane, você e seu irmão. Vão pendurar um por um para confirmar as versões. Você é forte, bombado... pode aguentar pancada. Mas, e sua mina? Vai querer que ela passe por isso também?

– Vão tomar no cu vocês todos.

– Ela não tem nada a ver, não é? Eu vi a moça, ela é inocente. Até onde você vai deixar que ela se envolva nisso?

– Mas ela sabe o que você fez. E isso basta para levarem ela para o DHPP. Seja homem, porra! Vai assumir a bronca sozinho, ou vai ser covarde e deixar que ela assine o BO junto com você?

– Ela não tá no rolo, caralho! Ela não tem nada a ver com isso. Deixem ela em paz!

Ver um rapaz forte como Cristian desesperar-se em choro comoveu Rubens ao mesmo tempo em que se espantou com o que conseguiram. Mesmo sem ter dito claramente, o garoto havia confessado sua participação no homicídio.

Era a primeira vez desde que entrou para a Polícia que ele conseguia fazer alguém assumir a culpa por um crime. Uma sensação boa. Eduardo compartilhava da alegria. Sorriu para o delegado como se o cumprimentasse pelo ótimo trabalho.

A preocupação de Rubens, agora, era sobre o que deveria ser feito. Nenhum manual ensinava como agir naquele instante. Para isso, tinha Eduardo:

– Sente aqui, Cristian. Vamos acabar logo com isso para você poder ir embora.

O pagamento do mês

Enquanto carregava a roupa da família Richthofen para a lavanderia, Fátima temeu que algum dos tiros da espingarda de pressão de Andreas pudesse atingi-la.

O garoto não abandonara seu principal divertimento das tardes. Passava horas no quintal mirando em latas, pedras ou insetos. Às vezes se deitava na grama para tomar uma posição melhor diante do alvo, ou se colocava atrás de anteparos como caixas de papelão ou cadeiras.

A rotina da casa não mudou. Apenas as pessoas.

Estava preocupada com seu salário. Dois dias antes de morrer, Marísia havia prometido aumentar-lhe o salário para seiscentos e quarenta reais. O dia de seu pagamento havia passado, e ela ainda não tinha recebido, tampouco tivera notícia de quando isso seria feito.

Quando a falta de dinheiro começou a afetá-la, foi necessário pedir passes de ônibus emprestados a uma amiga para chegar ao trabalho.

Suzane assumira a posição de gestora da residência, mas sem o mesmo zelo da mãe. A empregada precisava insistir várias vezes para que fossem providenciadas coisas rotineiras do lar, como comprar produtos de limpeza e fazer pequenos consertos, coisa que Marísia jamais deixaria faltar.

Insistiu que precisava pagar o tintureiro, pois a demora faria com que o dono do estabelecimento vendesse a roupa deixada em sua loja. Depois de uma semana, Suzane lhe entregou uma nota de cinquenta reais, e pediu que deixasse o troco sobre a mesa da cozinha, onde o pegaria mais tarde.

Fátima sentiu-se ofendida pelo comentário sobre o troco. Marísia nunca teria dito aquilo, pois confiava na honestidade da empregada e sabia que ela seria incapaz de tomar para si um centavo que fosse daquela família.

Suzane passou a reclamar dos serviços de Fátima. Dizia que a roupa não estava tão bem passada quanto antes, e que a comida deveria ser preparada com mais cuidado, sem exageros no sal e no óleo. O tempero deveria ser mais comedido. Seu paladar era muito sensível, por isso não toleraria excesso de condimentos ardidos ou de sabores exóticos, como a empregada vinha usando. Suzane se desfez do orégano, do alho, do coentro, alecrim, gengibre e do cheiro-verde. Para os pratos, bastava pouco sal e cebola. As azeitonas deveriam ser definitivamente substituídas por cogumelos. O molho das massas sempre branco, variando com *funghi* em certos dias da semana.

Também pediu para abandonar o feijão, um alimento pesado e rústico. Derivados de leite não entraram mais em seu cardápio desde que Suzane descobriu ser intolerante à lactose. Carne vermelha seria apenas o filé-mignon. Os outros cortes exigiam sofisticação no preparo, elemento que faltava à experiência da empregada. Eram recomendações que Fátima já ouvira em outras casas onde trabalhara, com poucas alterações. Não via na menina um comportamento diferente das outras patroas.

Dava-lhe os restos de comida que sobrava das refeições, e prometeu as roupas antigas da mãe para o próximo inverno. Se quisesse, também poderia ficar com algumas peças do armário de Manfred, caso conhecesse algum homem que precisasse.

Tudo isso era comum na sua vida profissional, sempre tomado como parte do ofício. Apenas não tolerava o atraso no pagamento.

Avisou Suzane que precisava do dinheiro dois dias antes da data que deveria recebê-lo, e lembrou a menina que o valor fora aumentado pela própria Marísia. A nova patroa sorriu e disse que iria sacar o dinheiro no banco assim que fosse possível.

Mas um dia antes do pagamento não houve indicação de que receberia a remuneração do mês. Fátima então, preocupada com as contas vencidas, ligou para a tia mais próxima de Suzane que conhecia. Explicou que não tinha certeza se deveria continuar trabalhando na casa, porque estavam todos abalados a ponto de esquecerem seu soldo. Mas que se sentia mal em cobrá-los, parecendo insensível à dor da família.

– Fátima, fique tranquila. A Marísia adorava você, e acho importante que continue trabalhando aí. Hoje mesmo faço seu depósito, e todo quinto dia útil do mês eu continuarei fazendo. Peço desculpas por todo esse transtorno. Só peço paciência. Se nós, adultos, estamos confusos por causa de tudo o que aconteceu, imagine as crianças. E quando precisar de alguma coisa, me ligue. Prometo que vou providenciar o necessário para vocês.

Antes que a empregada agradecesse a gentileza, viu Suzane se aproximar e ouvir o fim da conversa.

– Com quem você estava falando, Fátima?

– Com sua tia. Ela vai fazer meu pagamento.

– Nunca mais faça isso!

A menina estava brava como Fátima nunca tinha visto antes. Enquanto Marísia era viva, a empregada trocara poucas palavras com Suzane e não percebera o quanto ela sabia amedrontar. Nem se quer notou alterações de humor nas poucas conversas que pôde presenciar entre mãe e filha.

– A partir de agora a dona de casa sou eu. Tudo o que você tiver que conversar, fale comigo.

– Mas a senhora ainda não me pagou.

– Nós não temos como lhe pagar agora. Por favor, aguarde eu receber a herança dos meus pais e tudo vai se normalizar. Mas, se não estiver contente, pode ir embora.

Não foi preciso Fátima esperar. Antes do fim daquela semana, Suzane seria presa, e o contrato de trabalho, rompido.

Policiais presos em flagrantes

> *17. Força irresistível no íntimo dos dementes morais.*
> *2. Força irresistível dos criminosos. Confissões.*
> *Tudo o que foi exposto encontra-se exatamente nos criminosos, conforme já demonstrei com estatísticas e as observações de outros pesquisadores. Mas muito melhor do que tudo isso são as confissões dos delinquentes. Assim me disse um ladrão: "Temos o furto no sangue. Se vejo uma agulha, o mínimo que posso fazer é pegá-la, mesmo que esteja disposto a devolver depois". Outro relatou: "deixar de roubar seria para mim como deixar de viver. O furto é uma paixão que arde como o amor, e quando o sangue me sobe à cabeça e me vai aos dedos, eu roubaria a mim mesmo, se fosse possível.*

– Eu acho que foi por amor, né?

Eduardo e Rubens já tinham ouvido a confissão de Cristian sobre a autoria do homicídio. Bastava formalizá-la no papel, sem contradições que pudessem colocar em dúvida todo o trabalho.

O investigador havia aprendido uma importante lição com Maurício, seu amigo do DHPP. Ao mesmo tempo que digitava o texto que Rubens pedia, gravava a conversa em seu computador.

– Não é isso. Eu quero saber por que eles tiveram essa ideia.
– Ah, os pais eram bastante violentos quando bebiam... batiam na filha.
– Manfred e Marísia?

– Os dois, né. A mãe e o pai. Mas não tenho provas para confirmar isso. Eles não aceitavam o namoro do Daniel com a Suzane. Eu sou só um laranja no episódio.

– E o único meio que eles encontraram para ficarem juntos era matando os pais. – Quando Eduardo percebia que Cristian se perdia em meio às próprias lembranças, retomava o raciocínio para reconstruir a história.

– Sim. Matando os pais dela.

– Como eles planejaram isso?

– Começou no mês passado, na minha casa. Mas a ideia toda foi do Daniel, ele só perguntou se eu aprovava.

– Você aprovou?

– Não. De forma alguma. Mas fiz. Eu não consigo dizer não para o meu irmão. O Daniel sempre me ajudou, e eu nunca tive a chance de ajudar ele. Aí lançaram essa ideia idiota. Com o tempo fomos pensando em qual arma usar. Pensamos que um revólver poderia fazer muito barulho, e os vizinhos ou os seguranças iriam perceber. Foi então que deram a ideia do pau.

– Em um mês vocês planejaram tudo isso?

– Não. Eles começaram a bolar tudo há uns dois meses. Eu que só fiquei sabendo há um mês.

– Como vocês organizaram a divisão das tarefas?

– Eu não organizei nada. Quem organizou a fita foi a Suzane e o Daniel. Depois eles só passaram para mim. Me avisaram que deixariam o Andreas na LAN *house*, e nós três iríamos para a casa da Suzane com o carro dela.

– O Andreas também sabia, né?

– Nem em sonho. Ele não teve nenhuma participação. Nenhuma. Ele não sabia de nada. É completamente isento.

A contundência com que afastou a participação de Andreas do crime era firme. Cristian deixou clara a inocência do filho dos Richthofen, mesmo com a insistência de Eduardo para induzi-lo a dizer algo que comprometesse o garoto.

– Ele não teve nenhuma participação? Não notou o que vocês iriam fazer?

– Não. Nada.

– O Andreas sabia que vocês voltariam para a casa dele?

– Não. O menino confia demais no Daniel. Ele o considera seu irmão. Ele ficou muito mal depois do crime.

– Mal? Ele estava cantando, assobiando. E disse que os pais dele já eram. – A figura estranha do garoto ainda incomodava Eduardo. Para ele, descobrir a participação de Andreas no crime era questão de tempo e paciência.

– Mentira!

– Eu vi. Ninguém me contou. Aquilo não é comportamento de filho que perde os pais de maneira tão violenta.

– Não sabia que ele cantou ou assobiou depois do crime. O que sei é que ele está muito triste e abatido. Não vou incriminá--lo nem descriminá-lo.

– Anote aí, Edu. – A determinação do delegado indicava que as suspeitas sobre Andreas não deveriam ser aprofundadas. O delegado tinha pressa em terminar o trabalho. – O declarante informa que, depois do crime, encontrou com Andreas na terça--feira e achou que ele estava aparentemente mal, mas sentido. Ponto. Quem dirigiu o carro até a casa?

– A Suzane. Ela estacionou o carro na garagem e nós três entramos na casa juntos.

– Por que vocês escolheram a data de 31 de outubro?

– Sei lá. Quem decidiu isso foi o Daniel. Acho que foi quando tiveram coragem de fazer.

– Foi um presente para Suzane? Ela completaria dezenove anos no dia 3...

— Foi um presente para os dois. — Cristian estava cansado, e suas respostas começavam a ser lançadas sem muita vigilância. — Doutor, eu não entendi sua pergunta. Não posso dizer que isso foi um presente. Se foi, ninguém me disse nada.

— E no domingo? No aniversário dela teve uma festa, não teve?

— Não sei dizer. Não me chamaram.

Rubens fez sinal para Eduardo recomeçar a digitação:

— Afirma que a data foi escolhida por Daniel, e não sabe dizer se seria um presente de aniversário para Suzane. Ponto. Vocês usaram drogas antes de irem para a casa?

— Não.

— Nem bebeu nada?

— Não. Se tivesse usado alguma coisa eu perderia a coragem.

— Daniel e Suzane usaram drogas ou beberam alguma coisa antes de irem para a casa?

— Não que eu saiba.

— Eles são usuários?

— Fumam maconha. Mas dizem que não são viciados. Usam quando tem, e quando não tem não fumam.

— Quem compra a droga para eles?

— O Daniel ou a Suzane. Eu nunca sei.

— Vocês entraram juntos na casa, e aí? O que aconteceu?

— Aí a Suzane acendeu a luz das escadas e do corredor e nos avisou que isso iluminaria o quarto o suficiente para nós enxergarmos.

— E depois que ela acendeu a luz?

— Meu irmão correu para o pai, e eu corri para a mãe.

— Como eles estavam?

— Deitados de barriga para cima.

— Quem bateu primeiro?

– Não me lembro.
– Eles gritaram?
– Não. Meio que acordaram, mas não chegaram a gritar.
– Quantos golpes você deu?
– Acho que uns cinco. Meu irmão também deve ter dado a mesma quantidade. Não tenho certeza.
– Foi só na cabeça?
– Não sei. Depois da primeira pancada, a cabeça dela virou assim, então acertei outros lugares.
– A mão? O braço?
– É. Quando comecei a bater, ela colocou a mão na frente.
– E seu irmão?
– Não sei. Quando me dei conta, o alemão já estava sangrando. Nem vi como ele fez.
– E as toalhas do banheiro? Por que vocês colocaram toalhas na boca dos corpos?
– Para travar a respiração deles. Não paravam de respirar.
– E a água? Por que jogaram água neles?
– Foi ideia do meu irmão. Jogou na garganta deles para pararem de respirar.

A imagem da toalha embebida em sangue sendo retirada da garganta de Marísia voltou à mente de Eduardo. Provavelmente, Rubens também estava pensando no mesmo, mas sua concentração nas palavras de Cristian era tão grande que deixou admirado até o velho investigador.

O delegado perguntava com coerência, e aos poucos os fatos iam se encadeando.

– Quem trouxe a jarra foi a Suzane, junto com os sacos plásticos. Pegamos a água lá mesmo, no banheiro do quarto.
– A Suzane viu os corpos?
– Acho que não. Ela deixou as coisas e saiu correndo.

– Como ela estava?
– Fria. Mais fria que o Daniel.
– E o fundo falso do armário?
– Foi o Daniel. Ele sabia que tinha isso lá.
– Aí vocês espalharam as joias pelo quarto, né?
– Não eram joias. Era tudo bijuteria.
– E o revólver?
– Eu peguei o revólver e o coloquei do lado do pai, na cama.
– Onde conseguiram os porretes?
– Meu irmão que fez. Uma barra de madeira com ferro dentro.
– E aí? O que aconteceu depois?
– Cobrimos os corpos com os sacos e os cobertores. Depois descemos para a biblioteca, onde a Suzane já tinha tirado o dinheiro da maleta.
– E reviraram a biblioteca?
– Sim. Os três.
– Onde trocaram de roupa?
– Em frente à piscina.
– E depois do crime? O que vocês fizeram?

Faltava ainda esclarecer a divisão das joias que tinham sido levadas, e com quanto do dinheiro cada um ficou. Cristian não demonstrou esconder detalhes do homicídio, e os pontos que não contava parecia mesmo que era por esquecimento.

Eduardo aguardava o momento adequado para entrarem no assunto que mais lhe interessava: a participação de Manfred no esquema de caixa dois do DERSA. Não sabia ao certo o quanto Cristian saberia informar, mas qualquer indício de que tinha conhecimento desse fato já seria uma vitória.

No entanto, não contavam com o imprevisível. Batidas violentas na porta anunciaram que o delegado titular tinha antecipado o retorno da viagem. Chamava ora por Eduardo, ora por Rubens.

Os policiais se entreolharam. O delegado sentia medo, e o investigador, raiva.

– Rubens! Rubens! Abre essa porta!

Enquanto Eduardo desligava o programa em que gravava o áudio da oitiva, Rubens obedeceu a ordem que vinha do lado de fora. Norberto, o delegado titular, no primeiro sinal de que a porta estava destrancada, terminou de abri-la com a pancada de um chute e invadiu a sala com os investigadores que sempre o acompanhavam:

– Vocês estão presos em flagrante.

Rubens emudeceu. Eduardo sacou as próprias algemas e as jogou sobre a mesa:

– Tente me algemar, doutor. Mas só o senhor pode tentar. Se qualquer outro polícia quiser se arriscar, vai morrer antes de ouvir o tiro.

Pilantragem de polícia

O flagrante desejado por Norberto era fumaça. Eduardo não havia feito nada além do que mandava sua profissão. Interrogou, com seu delegado, um suspeito de homicídio com bastante êxito até conseguir uma confissão, a glória máxima da Polícia.

Ao ver a inesperada insubordinação do investigador, Norberto se deu conta de que não tinha motivos legais para incriminá-lo, e que, se insistisse na prisão, poderia ele mesmo ser o preso.

A autoridade confrontada não se fez de rogada. Mandou que seus investigadores levassem Cristian para uma sala reservada da chefia e ordenou a Rubens e Eduardo que se sentassem, enquanto ele ocupava a cadeira atrás da mesa para lembrar a seus subordinados quem era o chefe:

— O que vocês fizeram é a pior pilantragem que já vi na Polícia. Trair o chefe é coisa que não se espera nem de bandido. Podia esperar essa conduta de Eduardo, mas de você, Rubens, um delegado de Polícia! Um homem de boa família... você envergonha sua carteira vermelha.

— Doutor, o garoto confessou o homicídio. Está tudo registrado. Só falta ele assinar.

— Cala boca, porra! Não deixei você falar, Rubens! Quem você pensa que é, seu merda? Você não passa de um moleque mimado que caiu de paraquedas na Polícia. Só passou no concurso porque é sobrinho de um ex-delegado geral! Isso aqui é lugar de homem, não de gente mole que não sabe dar um tapa no mala. E apaga a merda desse cigarro, Eduardo!

Num dia comum, o investigador teria se recusado a cumprir aquela ordem sem propósito, mas julgou que não era um bom momento para o confronto por motivo tão pequeno.

Deu uma grossa cuspida no chão e jogou a bituca na poça. Para garantir que estava cumprindo o que Norberto determinara, esfregou com a ponta do pé o fedorento melado de catarro e nicotina.

O delegado titular tentava arrumar os poucos fios de cabelo que cobriam sua cabeça usando os dedos das mãos ao modo de pente. A boca, mais torta que de costume, soltava ofensas esganiçadas à competência dos policiais.

– Vocês acabaram com suas carreiras! Esqueça concursos públicos, Rubens. Você mexeu num vespeiro, e estou ligando para a Corregedoria para abrir um processo administrativo disciplinar contra sua falta de disciplina, insubordinação e falta de companheirismo. A falta de respeito com seu superior hierárquico vai te custar caro. Sabe o que significa ter um PAD no prontuário?

– Doutor, ele não tem nada a ver com isso. Eu que trouxe o Cristian.

– Cala a boca, porra! Vai tomar no seu cu, assassino. Polícia que mata polícia não merece meu respeito. É tão bandido quanto qualquer outro. Você vai se foder mais ainda, Eduardo. Vou te encaminhar pro Ministério Público hoje mesmo. Eles vão adorar saber como seu patrimônio evoluiu tanto em tão pouco tempo. Como vai explicar que tomou essa fortuna de um traficante? Vou fazer questão de indicar que isso custou o sumiço do Pradinho.

– E quando o MP for me interrogar sobre meu patrimônio, entregarei pra eles a gravação da Suzane, onde ela diz que o Manfred fazia caixa dois no DERSA para o governo. Claro que antes vou deixar uma cópia do grampo com a imprensa...

— O quê? Você fez um grampo na menina?

— Valeu a pena. Foi assim que consegui o número de uma conta na Suíça onde o pai dela guardava a grana. Olha só. Pode ficar com uma cópia, porque, quando me perguntarem onde consegui, vou dizer que só estava seguindo as ordens do meu delegado titular, o que será confirmado pelo doutor Rubens, que estava presente quando o senhor nos mandou averiguar.

O papel jogado sobre a mesa deixou Norberto curioso. Encurvou o lombo das costas para alcançá-lo, colocou os óculos para enxergar melhor os números e o nome do banco. Voltou-se para Rubens, desafiando a coragem do jovem delegado plantonista.

— Eu nunca quis participar disso, doutor Norberto, mas o senhor prometeu que isso nos traria vantagens com o governador.

Mais uma vez, a audácia de Rubens surpreendia Eduardo.

— O senhor foi chutado do DEIC pelo secretário de Segurança e encontrou um meio de prejudicar o governador. O partido vai ficar preocupado com isso, não acha?

Norberto segurava o papel na frente do rosto, como se não entendesse o que estava escrito. Tentou encontrar uma brecha na história que estava ouvindo de seus funcionários.

— Quer voltar para o DEIC, doutor? Colha o testemunho do Cristian sem a confissão dele, apenas falando sobre a compra da moto com os dólares suspeitos. Encaminhe-o pessoalmente ao DHPP como se fosse trampo seu e deixe que eles sintam o prazer de descobrir a autoria do homicídio. Entregue esse número de conta e diga que ninguém mais sabe sobre o caixa dois do DERSA, mas que não pode garantir o vazamento da informação.

— Eu quero os dois fora desse DP agora!

Rubens se levantou primeiro e saiu sem sequer se despedir de Norberto. Faltavam pouco mais de duas horas para terminar seu plantão diurno, mas isso pouco importava para ele. Iria abandonar o trabalho e desaparecer na noite de São Paulo.

– E recomendo que o senhor faça isso logo, porque o advogado do menino está vindo aí, e junto vem a imprensa. Se o senhor não tirar o serviço dele aqui, a Homicídios vai agradecer. É a chance de seu nome aparecer no inquérito com toda a glória.

– Acabou, Edu. Vamos embora. – Rubens agarrou o braço de seu investigador com força, para lembrá-lo de que não tinham mais nada a fazer ali.

Juntos caminharam até a sala de Rubens para pegar o paletó dele. No caminho, encontraram o escrivão Ivan atordoado:

– O que vocês aprontaram, porra? Que gritaria foi essa?

– Cala a boca, Ivan. Isso não é com você.

– Calma, doutor. Vocês se fuderam sozinhos. Eu não tenho nada a ver com isso. Só fiquei preocupado.

– Vai tomar no seu cu, filho de uma puta. Seu velho preguiçoso. – Rubens empurrou o peito de Ivan com as duas mãos espalmadas, derrubando o escrivão sobre uma das mesas do recinto.

O efeito dos papéis que segurava sendo lançados ao ar pintou a cena com um tom de dramática violência. Enquanto as folhas caíam serpenteando no ar, Ivan tentava evitar a própria queda ao mesmo tempo que se protegia do avanço de Rubens.

– É por causa de gente como você que a Polícia é essa bosta há tanto tempo!

Apesar de ter a certeza de que Rubens seria incapaz de agredir seu escrivão, Eduardo colocou-se à frente da fúria do delegado sobre Ivan.

– Calma, doutor. Calma. Vai pra casa.

Quando Rubens notou que estava sendo observado pelas pessoas da sala de espera, encerrou o espetáculo com uma saída furiosa. A plateia, atônita, não aplaudiu.

Os que insistiram em esperar o retorno do sistema de registro eletrônico do boletim de ocorrência viram no episódio a oportunidade perfeita para ir embora. Nada disseram, mas estava claro em seus rostos o quanto estavam admirados com a rotina de uma delegacia de Polícia.

Café Photo

Ainda não eram onze horas, mas a fila milionária de carros parados ao longo da avenida Hélio Pellegrini era o prenúncio de que a noite de sexta-feira no Café Photo era a mais movimentada da semana. Eduardo estacionou o seu numa garagem próxima e seguiu a pé, em direção à boate.

No caminho, observava os seguranças da casa noturna pendurados nas janelas dos veículos conversando com seus ocupantes. Era uma pré-seleção que garantia a boa frequência do estabelecimento.

O porteiro o recebeu com a simpatia habitual. Amigo da Polícia, era um investigador no bico, já tinham passado juntos por plantões da cidade e ele guardava boas lembranças do desprendimento material de Eduardo ao dar boas gorjetas. Surpreso com a presença do amigo, perguntou o motivo de suas idas ao lugar terem diminuído nos últimos anos.

– Não queria chatear as meninas com a conversa de um tira velho e chato.

– E elas se importam com isso, Edu? Desde que pague, você pode ser o que quiser.

O porteiro o acompanhou até o bar do térreo, onde ficavam aqueles que pagavam apenas a entrada. Apreciavam a cerveja que custava vinte vezes o preço do supermercado, enquanto ouviam música sertaneja e *shows* de dança do ventre.

Os dois últimos andares eram reservados aos sócios da casa e a seus convidados, que podiam manter uma conversa discreta com as moças do local. Era ali que ficavam as melhores meninas e os frequentadores mais abonados. Caso elas não tivessem sorte até por volta das quatro horas da manhã, desciam ao térreo para se arriscarem com os frequentadores normais, na tentativa de encerrar a noite sem prejuízo.

Quando chegavam, encontravam homens ansiosos por elas, pois ali podiam desfrutar das beldades das famílias paulistanas a um preço razoável.

Não eram os serviços da casa que Eduardo procurava. Queria o chefe da segurança, um delegado lotado na Secretaria de Segurança Pública, conhecido das antigas noites de plantão.

Ao saber que Eduardo o aguardava, pediu que o levassem ao seu encontro, no piso superior.

Pelo caminho, as meninas não usavam jeans, decotes indecorosos ou saias curtas. O cabelo bem cuidado era a moldura adequada para o rosto discretamente maquiado. Muitas estavam sozinhas nas mesas, aguardando a abordagem. Nunca iam ao encontro dos solitários, nem pediam bebidas ou cigarros. Deixavam-se ser caçadas e até mostravam certa resistência à aproximação dos clientes. O prazer da virilidade, afinal, começava bem antes do gozo.

Sentado no canto mais escondido do salão, quase invisível, Gilberto o aguardava. A luz pouco densa não deixou que Eduardo lesse a marca do grosso charuto que o delegado fumava. O perfume da iguaria despertou-lhe a atenção.

Serviram-se da garrafa de uísque que descansava sobre a mesa. Comentaram sobre os amigos que faleceram e o que aconteceu com aqueles que insistiam em viver.

– E você, Edu? Nunca mais casou?

– Foi por isso que vim aqui hoje. Qual das meninas você acha que seria uma esposa ideal?

Gilberto não conteve a risada e respingou parte da bebida no queixo. Enquanto se limpava, explicou que os poucos milhões que tinha não bastariam para amar uma mulher do Café Photo por mais que três meses.

– Brincadeira, doutor. Preciso de uma ajuda.

– Doutor é o caralho. Você comeu minha filha e agora quer que eu seja seu delegado, porra?

Foi a vez de Eduardo rir, mas com a reserva que lhe era característica. O olhar derrubado explicou ao delegado onde os pensamentos do velho amigo estavam.

– Você ainda sente falta dela, Edu?

– O senhor se parece muito com ela.

– Mas tinha o gênio ruim da mãe. Que merda, Edu! Você nunca vai me trazer boas notícias? – Serviu outra dose ao investigador.

Um novo gole o ajudou a recompor-se. Se demorasse mais um pouco naquela conversa sobre o passado, Eduardo não conseguiria segurar um instante de fraqueza. Então foi direto ao assunto e pediu que levasse para trabalhar consigo, na Secretaria de Segurança Pública, um amigo delegado.

Garantiu a honestidade do rapaz. Ele só precisava ficar protegido dos desmandos do superior hierárquico, um pederasta sujo.

Gilberto nem perguntou o nome do sujeito. Só pediu que escrevesse os dados pessoais dele num guardanapo. Chamou alguém pelo nome e entregou o papel, com a recomendação de que a transferência deveria ser efetuada ainda naquela noite. Perguntou a Eduardo quando ele, enfim, iria sair dos plantões.

– Muito trabalho ajuda a não pensar na vida. Se eu sair do DECAP, vou terminar de envelhecer.

– Besteira. Tá envelhecendo sem saber. É a única diferença. Você começou a morrer quando a Denise fugiu. E eu, quando ela foi pendurada.

Não era o assunto que Eduardo queria começar. Todas as vezes que se encontravam, evitava falar sobre a garota. Mas somente com ele Gilberto poderia dividir as boas lembranças da filha.

Era o preço que devia pagar por um favor como aquele que o delegado acabara de conceder-lhe. Eduardo deveria acompanhá-lo e também afogar-se num passado sofrido, quando se apaixonou por uma aluna ruiva de medicina que, grávida, o abandonou pela guerrilha armada dos anos setenta.

– Seu erro foi ter matado o corno daquele delegado que fez mal pra minha menina, Edu. Isso eu nunca vou te perdoar. Ele era meu.

– Seu e de milhares de outros pais. Muita gente queria matá-lo. Eu só cheguei primeiro.

– E sabe o que é pior? Ela venceu. Os comunistas passaram a perna na gente e chegaram onde queriam. Pra que tudo isso, Edu? Só sobrou um monte de histórias em que ninguém acredita e que nós temos vergonha de contar.

Só perceberam que a garrafa de uísque tinha terminado quando a tombaram sobre o copo. Gilberto pediu outra da mesma idade, e mais gelo.

– Vou te apresentar uma menina que, não fosse puta, seria minha neta. Mas olha lá, hein? Não me vá tratar a menina como você trata as GP do Bahamas. Ela é de família, precisa de respeito e atenção. A nossa vantagem sobre essa molecada de pau duro é que sabemos cortejar as mulheres como elas merecem.

Não adiantou Eduardo declinar do convite. Seria muita indelicadeza de sua parte declinar da apresentação que Gilberto tinha em mente.

O substantivo *menina* tinha outro significado para Eduardo. Gilberto voltou seguido por uma mulher de aspecto nada pueril, mas os traços do rosto ainda revelavam uma imaturidade que não queria abandoná-la.

O vestido de veludo brilhava junto ao corpo esguio, apesar da luz rarefeita que se esparramava por suas curvas. Toda ela era um convite ao toque. Helena, como as personagens de novela da televisão.

Eduardo, para não ofendê-la, fingiu acreditar que aquele era seu nome verdadeiro. E agradou-se de verdade com sua dicção empostada, que acentuava os esses sem sibilar. O sorriso era liso, sem rugas, talvez por causa da maquiagem que padronizava o tom da pele.

Era jornalista, estudante de marketing, publicidade ou coisa assim. Queria ser dentista e fazia bicos de dançarina em programas de televisão.

Às oito da manhã, Eduardo acordou sozinho num hotel da avenida Paulista. O dinheiro na carteira estava lá, intacto; ao lado, um bilhete escrito com as arredondadas letras femininas:

"Espero que esteja bem. Me liga quando acordar. Beijos. Helena."

Sentiu um arrepio quando se lembrou da arma, e um alívio ao vê-la no chão, no coldre preso ao cinto.

Helena? Até quando ela iria insistir nessa mentira? Era um pensamento engraçado, e ele riu, mesmo com toda a dor de cabeça que sentia.

O trajeto até seu prédio foi dolorido. A luz do sol ardia no capô do carro, e seu estômago revirava com as curvas de cada esquina.

Mal abriu a porta do elevador e percebeu que a porta de seu apartamento estava aberta. Arrombada, na verdade. A madeira em volta da maçaneta quebrou-se à força, e, pelo vão, viu o sofá da sala revirado.

Sacou a arma e tentou vasculhar o interior do lugar com os olhos ali mesmo, onde estava. O amargo do uísque da noite passada ficou mais forte na boca. A bílis bateu na garganta, trazendo à memória o charuto que talvez tenha tragado, não se lembrava bem.

Deixou o cano da arma entrar primeiro. Seu corpo veio em seguida, em passos silenciosos. Nunca foi dedicado ao zelo doméstico, mas a bagunça do lugar o assustou. Os poucos enfeites da mesa estavam jogados ao chão, junto com o quadro de natureza-morta da copa.

Do escritório, ouviu um barulho de gente. Era Rodrigo, de costas.

Bílis na garganta

A invasão a seu apartamento por alguém armado justificava a covardia de um tiro pelas costas, sem chances de defesa. Além disso, Eduardo nunca foi dado a cavalheirismos.

Rodrigo teve a sorte de virar-se antes que Eduardo levasse a cabo a vontade de apertar o gatilho. Congelou ao ver o buraco do cano da arma mirando sua testa. Sua imaginação pintou a imagem do projétil girando nas raias ao deixar a pistola.

Congelado de medo, procurou justificar sua presença naquele caos:

— Eu vim te pedir desculpa...

— O que você tá fazendo aqui? — Eduardo, furioso, abandonou a prudência e deixou de vigiar o espaço vazio atrás de seu corpo. Esperava o pior de todos, mas mesmo assim se surpreendia.

— Abaixa isso, Edu. Tá ficando louco?

— Põe as mãos na mesa.

Rodrigo pouco se importou com a ordem humilhante. Ser revistado era um grande desprestígio até mesmo para um jovem policial, mas queria sair daquela cena o mais rápido possível. Eduardo vasculhou-lhe a cintura e encontrou uma pistola nova, pequena, preta e fosca. Guardou-a em seu bolso, arrumou a cadeira que estava perto e sentou-se nela.

A boca de Eduardo salivou e um líquido morno bateu na garganta. Tentou segurar a iminência do mal-estar respirando fundo.

— Posso me virar?

Rodrigo faria o que Eduardo pedisse. Percebeu o amigo sair rápido da sala e correr para o banheiro. Ao ouvir os espasmos do outro, sentiu-se seguro para acompanhá-lo.

– Você tá bem, Edu?

O velho homem, ajoelhado, contorcia-se para despejar os restos da noite no vaso sanitário. Quando terminou, limpou o fio de baba que o ligava à privada. Levantou-se e foi até a pia, mas não encontrou sua escova de dente no meio da bagunça. Tinham quebrado até o espelho do armarinho. A imagem refletida nos cacos era de um homem cansado, com olheiras escuras, rugas profundas e uma testa longa, que avançava sobre a cabeça grisalha.

– Porra, Edu. O mundo acabando lá fora e você saindo pra balada?

Rodrigo não esperava que o colega correspondesse à piada. Arrumou o sofá da sala para sentar-se e esperou o outro recompor-se.

Eduardo sentou-se ao lado dele, já desarmado.

– Eu vim te pedir desculpas, Edu. Vocês tinham razão sobre a jornalista. Uma vadia.

Na mão de Rodrigo, um jornal dobrado que até então não tinha sido notado por Eduardo. Fosse uma arma, estaria morto. Ao ler uma pequena notícia escondida no caderno policial indicada por Rodrigo, a nota de poucas linhas chamou sua atenção:

"A polícia vai investigar se Suzane von Richthofen e o pai, Manfred, são os donos de duas contas correntes no banco suíço Union Bancaire Privée, para onde pode ter sido remetido dinheiro supostamente desviado de obras do Trecho Oeste do Rodoanel Mário Covas. O advogado da Companhia de Desenvolvimento Rodoviário SA (DERSA), responsável pelo Rodoanel, era amigo de Manfred e advogado de Suzane durante as investigações do homicídio, acompanhando-a nos interrogatórios."

– Falei para você tomar cuidado com papo de cama, menino.

Rodrigo baixou a cabeça. Sentiu-se como uma criança tomando bronca por ter feito arte.

– A Suzane passou a noite no DHPP, junto com os meninos, e acabaram confessando o crime. Só tão esperando o juiz liberar a prisão provisória.

– Acabou.

– Toma. Obrigado pela força. – Rodrigo tirou do bolso da jaqueta o revólver trinta e oito e o devolveu a seu verdadeiro dono. – O Maurício disse que, se eu aparecer de novo no trabalho com isso, ele me mata. Ganhei uma PT da Taurus. Mas vou comprar uma Glock.

Aquilo era um sinal de envelhecimento em Eduardo. Assustou-se por, apesar de ter revistado Rodrigo, não ter encontrado a arma num lugar tão óbvio como um bolso. O garoto, talvez por pena, pareceu não ter notado o equívoco lamentável do amigo.

– O que aconteceu aqui no seu apartamento?

– Rodrigo. Vai embora. Preciso dormir.

Quase não se despediram. O silêncio da saída de Rodrigo deixou manifesta sua gratidão pela promoção.

De volta ao escritório, Eduardo notou que tinham levado seu computador. O resultado foi como Eduardo esperava: levantou-se a suspeita pública de corrupção no DERSA sem acusações diretas, e teriam acesso ao áudio do depoimento de Suzane. Era o que bastava para saberem que ele poderia ir além disso.

Quando chegou ao plantão do 27º Distrito Policial naquela noite, foi recebido por seu novo chefe, um delegado velho e bonachão que se apresentou como Américo, sem o doutor.

O homem de vastos bigodes explicou ao tira as repentinas mudanças do lugar: Rubens havia sido transferido para a Secretária de Segurança Pública, e o titular, Norberto, para o DEIC:

— O pederasta derrubou o trampo da Suzane e conseguiu voltar para lá.

Seu novo parceiro de plantão era mais velho. Só o conheceu por volta das onze horas, quando chegou para trabalhar e logo foi dormir. Por isso pouco conversaram. Um senhor de óculos de lentes grossas e dentes amarelados pela nicotina.

A noite estava calma com o frio e a garoa. Nem a PM se atreveu a aparecer com ocorrências. Apenas o som do rádio da polícia no fundo do prédio indicava que o lugar estava habitado.

— Por gentileza, CEPOL, verifica um RG pra mim?

— QAP, prossiga...

Pedidos de pesquisa de documentos pessoais, placas de carros, solicitação de carro de cadáver... nem a onipresente impressora matricial do escrivão dava sinal de vida.

— Segundo, nono, negativo nono primeiro. Sétimo, sétimo, quinto. Xingu.

Por volta das quatro horas da madrugada todos já dormiam. Era o momento de seu descanso. Acendeu o último cigarro impressionado com o volume do ronco do delegado.

Antes de deitar-se, foi ao banheiro para lavar o rosto. Quando tentou tirar a arma do coldre, ela disparou acidentalmente. O estampido reverberou pelas paredes de azulejo, e ele não conseguia ouvir a própria voz xingando-se pelo descuido.

Levou a mão à perna para tentar encontrar um ferimento ou sangue. Estava bem, a não ser pelo incômodo zumbido. A pele cheirava a pólvora, e os olhos ardiam com a fumaça. Passou a procurar a cápsula, mas não teve êxito. Pensou que tivesse caído no lixo ou em outro lugar onde não colocaria a mão.

– Atento, CEPOL, é o décimo sexto alfa.

– CEPOL QAP. Prossiga.

Saiu do banheiro certo de que a Corregedoria logo viria buscá-lo. Ficou surpreso com o vazio que o recebeu. O mesmo ronco do delegado, o mesmo frio da noite. Nada.

Foi até o onipresente rádio para desligá-lo.

No andar de cima, onde dormia o novo parceiro, teve dificuldade para acordar o homem.

– Levanta. É minha vez. Não ouviu o tiro?

O velho se assustou. Tantos anos de plantão produzira nele o hábito de despertar em meio à guerra, arregalando os olhos com um suspiro. Ao ter certeza de onde estava e que o homem à sua frente era Eduardo, bocejou preguiçosamente.

– Tiro? Que tiro?

– Minha arma disparou no banheiro.

A pouca importância que o outro deu à notícia deixou Eduardo zangado.

– Porra, você não consegue ouvir um tiro? Nem o delegado que está dormindo na sala ao lado do banheiro ouviu... e se fosse o PCC invadindo o distrito?

– Foda-se. Dormir é mais importante que o PCC. Eu ficaria preocupado se não pudesse ouvir os tiros que disparam contra mim. – O velho olhou em volta, sentindo falta de algo. – Você desligou o rádio?

– Sim. Fiquei de saco cheio dele.

– Boa ideia.

Deixou Eduardo e desceu as escadas. Acomodou-se na cadeira da recepção e retomou o sono interrompido.

Eduardo não tirou o tênis para dormir. Estava frio demais para isso. Em pouco tempo dormiu, embalado pelo barulho da fina garoa da noite que cantava ao bater na janela. A vigília cedeu ao ressoar intranquilo do sono paulistano.

Despertar entre gemidos

> 6. *Casuística (de delitos nos meninos)*
> 4. *Um criminoso escocês condenado por antropofagia deixou uma filha de 12 anos, que também era antropófaga. Ela perguntou: "e por que eu me arrependeria? Se soubessem como é boa a carne humana, todos comeriam seus filhos".*

Pouco depois das dez e trinta da noite de 30 de outubro de 2002, Suzane, Daniel e Andreas passeavam de carro por São Paulo enquanto fumavam maconha, como era de costume.

Um fino traço da fumaça escapava pela fresta da janela e se perdia na noite; riam, contando piadas sujas para evitar que se lembrassem das agressões de Manfred à filha, ocorridas sob os auspícios da mãe. A violência tinha se tornado mais frequente nos últimos meses, e só terminou quando a garota cedeu às ordens do pai.

Disse aos pais que tinha se separado de Daniel. Os encontros passaram a ser escondidos, mas a paixão não diminuíra. Pelo contrário, o namoro clandestino ganhara intensidade, a ponto de concluírem que a solução para o problema seria a morte de Manfred e Marísia.

Pararam em frente à casa de Daniel. Andreas desceu, entrou na residência e saiu empurrando sua Mobilete. Já tinha se habituado à motoneta; mostrava destreza nas pedaladas que davam partida no motor e tinha aprendido a não gastar tanta energia para fazê-lo funcionar.

Era quase meia-noite, e por isso poderia andar nas imediações da casa sem correr o risco de ser abordado pela Polícia. Acelerou alto até sentir o primeiro torque do motor empurrar o peso do veículo para a frente.

Guiou com firmeza, menos rápido que o normal para aproveitar a brisa da noite esparramando seu cabelo. Como uma escolta, Suzane e Daniel o seguiam logo atrás de carro. O passeio não durou mais que quinze minutos, e então estacionaram em frente à LAN *house*.

O estabelecimento não estava cheio; a fila de computadores ligados sem ninguém para usá-los conduzia os olhos para três garotos solitários ao fundo da loja, ansiosos pela chegada de outros para aumentarem o número de combatentes do Counter-Strike.

Já conheciam Andreas de outras madrugadas; ele não era o melhor dos jogadores de guerra, mas pelo menos era mais um em quem atirar.

– Lembre-se: estamos no motel. Passamos aqui na volta, quando terminarmos – disse Suzane ao deixar o irmão em frente a um dos computadores. Não sorriram como de costume.

– Quando terminarem o quê?

Andreas e seu humor duvidoso.

– Engraçadinho! – Suzane não achou graça, mas abraçou o irmão para lembrá-lo de seu amor. O cheiro de maconha preso às roupas de ambos chamou a atenção das crianças que assistiam à despedida. Era a primeira vez desde que começaram a elaborar o plano que Suzane sentia medo.

O garoto colocou os fones de ouvido, escolheu seu personagem no jogo e pôs-se a tentar de detonar uma bomba em algum prédio do Oriente Médio. Não disseram tchau.

Cristian os esperava na rua. Trazia consigo sacolas e duas grossas barras de ferro que tinha retirado dos pés de uma prateleira. Suzane tomou o volante do veículo e pediu aos irmãos que, por baixo das roupas, vestissem as meias-calças que trouxera.

– Ponham as luvas. – O pedido foi recusado pelos irmãos Cravinhos. Antes de protegerem as mãos, elas deveriam estar livres para outro cigarro de maconha.

A uma e meia da manhã, em sua cabine, o segurança da rua Zacarias de Góes acordou em sua cabine, incomodado com o farol do Gol que entrava na garagem do número 232. Era a loira que morava ali. Viu o portão abrir-se acionado pelo controle remoto da motorista e depois voltou ao cochilo.

Estacionaram na garagem dos fundos. Trocaram palavras de estímulos e acenderam outro cigarro de maconha. Suzane beijou seu namorado e pediu que ficasse calmo. Desceu do carro calada e se dirigiu à casa. Deixou os irmãos Cravinhos aguardando o sinal combinado para entrarem em ação.

Cristian, no banco de trás, torcia os dedos das mãos na tentativa de acalmar-se. O rosto de Daniel denunciava um princípio de arrependimento. Buscou coragem no olhar do irmão, mas se frustrou ao notar que este também fraquejava:

– Se você não for, eu vou sozinho, Gibi.

– Cala boca, Dani. – Cristian segurou as mãos de Daniel para reiterar seu envolvimento no plano. Achou que o gesto não fora o bastante, então o abraçou com tapas nas costas. – Eu sempre pude contar contigo para tudo na vida, Daniel, mas nunca consegui retribuir. Eu tô contigo nessa furada. A gente vai ser preso. Vamos nos fuder na mão da Polícia. Nosso barco vai afundar junto, mas eu te amo, cara. A gente tá junto...

Era uma demonstração de carinho que Daniel não costumava ver no irmão Cristian.

Passados dez minutos, viram no alto da casa a luz da janela do corredor acender-se:

– Começou!

Suzane já os aguardava na sala. Todos os cômodos inferiores da casa estavam iluminados. A imagem dos dois rapazes caminhando pela porta com as barras de ferro nas mãos provocou-lhe um inconveniente tremor na perna esquerda. Balançou o joelho rapidamente para livrar-se da tremedeira involuntária, que poderia delatar aos rapazes um engajamento parcial no combinado.

Ela deu aos irmãos as luvas cirúrgicas.

– Já conferi, estão dormindo.

Todos seguiram para as escadas que davam acesso ao segundo andar.

Aos poucos, os três jovens invadiam a escuridão do segundo andar com segurança; passos morosos, mas certeiros, de quem sabia onde pisava. Cristian chutou um dos degraus de madeira. O barulho oco fez o grupo parar. Suzane pediu silêncio com um breve *chiii*.

Nem bem haviam dado outro passo, Cristian voltou a chutar a escada. Suzane sussurrou mais firme dessa vez:

– Cala a boca, caralho! Eles podem acordar.

– É só para termos a certeza de que não vão nos ouvir.

– Estão desmaiados de bêbados. Só vão acordar se o teto cair em cima deles – sentenciou Suzane.

Ela entrou primeiro. O medo fez Cristian e Daniel fincarem seus corpos na madeira do chão, como se impedidos de continuar. Sabiam que o alemão dormia à esquerda, e a esposa, à direita. Na penumbra, tentavam vislumbrar o casal e a cama.

Puderam adivinhar a posição de cada um na cama seguindo o som grave do ronco de Manfred. Daniel se esforçou para distinguir o ressoar da respiração de Marísia.

Quando considerou que era o melhor momento, deu o sinal:

– Vai!

Suzane acendeu a luz, obrigando os irmãos a fechar os olhos para se acostumar com a repentina e intensa claridade. A garota correu para fora do quarto e alcançou as escadas. Não precisava mais preocupar-se em manter passos silenciosos. Sentou-se no sofá, onde tinha certeza de que não ouviria nada.

Manfred estava com o rosto voltado para fora da cama, e sua camiseta deixava escapar alguns pelos vermelhos da barriga saliente. Daniel aproximou-se do sogro para vê-lo melhor.

Impressionou-se com o sono pesado do homem. Mesmo com a luz acesa e duas pessoas prontas para matá-lo ao seu lado, ele dormia com a tranquilidade de quem vai acordar vivo. Cristian, na outra lateral do quarto, à frente de Marísia, estava pronto para começar.

Manfred virou-se sobre a cama para acomodar o pesado corpo numa posição mais confortável. Daniel temeu a possibilidade de vê-lo acordar e flagrá-los ali, de pé, com o porrete nas mãos.

Impulsionado pelo temor de o sogro despertar, desferiu o primeiro golpe no centro da testa do homem. A cama chacoalhou e o alemão abriu os olhos. Daniel não se deteve diante do pavor com que Manfred o encarou.

A segunda pancada acertou o lado esquerdo do rosto, fazendo-o girar para o lado de Marísia. A esposa, que até então dormia, despertou num gemido. Viu o marido tentar dizer-lhe algo com o queixo desarticulado e o sangue transbordando da boca, quase atingindo o lado dela da cama.

Daniel, preocupado com o irmão, que ainda não havia agido, sinalizou para que começasse. Cristian não vacilou. Despejou com força o objeto metálico sobre a cabeça de Marísia, atingindo-a no nariz.

Ela levantou o braço para proteger-se, num movimento instintivo de sobrevivência. Vieram mais dois golpes que fraturaram seus dedos indicador e médio, além de provocar longa escoriação no antebraço esquerdo.

O marido fez menção de levantar-se, mas foi derrubado por outro golpe na fronte. Dessa vez, Daniel certificou-se da intensidade da pancada; queria garantir que o alemão apagaria em definitivo. Manfred despencou para trás. A pele branca da cabeça calva mostrou a rachadura por onde brotou um jato grosso de sangue. O vermelho jorrou pela testa pulsando em compasso arterial.

Apesar de Marísia mexer os lábios rapidamente, Cristian não ouvia som algum. Não saberia dizer se enxergava Manfred ou Daniel ao seu lado. Tinha certeza apenas do rosto mudo e torto da mulher.

Queria acertar um ponto incerto entre os olhos, mas ela insistia em movimentar-se. Acabou por quebrar-lhe o queixo.

Marísia apagou. Torceram para que, enfim, estivesse morta. Manfred, mesmo com o pescoço deslocado, acompanhou com os olhos o esmorecer da mulher. Aos solavancos, carregou o braço devagar para perto do corpo da esposa. Antes que a tocasse, Daniel ofertou outro golpe violento.

O casal jazia sob a vigilância dos irmãos.

– Já deu?

Daniel estava ofegante. Limpou a testa e ajeitou a roupa colada à pele úmida de suor. O excesso de transpiração provocado pela meia de náilon que vestia sobre a calça o incomodava. A luva de látex tinha se rasgado em certos pontos. Sustentou o porrete por sobre a cabeça, pronto para pôr fim ao menor sinal de vida da parte de Manfred.

– Seu rosto tá sujo de sangue – disse Cristian.

Daniel só percebeu a mancha vermelha tangendo a boca depois do aviso do irmão. Com nojo, tentou limpá-la; um sabor amargo e ferroso substituiu o gosto azedo do medo. Cuspiu com raiva e raspou a língua na camiseta para livrar-se daquela lembrança.

Cristian achou graça no incidente. Faria uma piada do azar de Daniel, se não fosse por Marísia ter começado a grunhir um resmungo entredentes.

Uma melodia lamuriosa e sem fim. A vibração escapava da garganta da mulher como de um fole que se esvazia continuamente, sem obstáculo para as consoantes. A sucessão de frases desarmônicas assustaram os rapazes. Consideraram ser aquele o som de despedida da mulher. Vieram preparados para ouvir esse tipo de impropério.

Cristian também levantou o bastão e armou os punhos para encerrar a desagradável ária.

– Ela já morreu. Esse barulho é coisa normal – disse Daniel, interrompendo o ímpeto do irmão.

E parecia mesmo que Marísia não estava mais ali. O que ouviam não era um choro de gente presente; era um barulho perdido na madrugada do Dia das Bruxas.

Foram ao guarda-roupa procurar pela gaveta com compartimento secreto. Reviraram roupas íntimas do casal, esparramando meias, cuecas e calcinhas pelo quarto. Quase se esqueceram do ruído de Marísia.

Sabiam da existência do fundo falso por meio de Suzane. Mas não seria necessário o privilégio da fonte. Numa tarde entre cervejas, o próprio Manfred se ufanava a Cravinhos de sua prosperidade, dizendo que guardava seus mais valiosos pertences no quarto, dentro de um esconderijo no armário. O alemão acreditava que nem mesmo o marceneiro que construiu a obra seria capaz de encontrar seus valiosos pertences.

Eram joias, dólares, alguns papéis e um revólver preto municiado.

Os irmãos não esperavam encontrar a arma. Cristian a empunhou e disse a Daniel que acabaria com a cantoria da mulher.

– Espera. Tenho coisa melhor pra isso.

Daniel tomou a arma nas mãos e a colocou no chão, ao lado da cama. Para construir o cenário, puxou o braço direito de Manfred para fora do leito, em direção ao revólver.

Mas o movimento provocou no alemão a mesma reação de sua mulher. Começou a emitir grunhidos, mais longos, graves e ferozes que os da companheira. Ele parecia querer forçar a saída da voz, porque expelia gotículas de sangue e saliva pela boca. Um pequeno borbulho de líquido espesso se acumulava no canto dos lábios, criando uma dura espuma rosa.

Daniel foi ao banheiro e voltou com duas toalhas de rosto.

Pediu ajuda ao irmão para abrir a boca de Marísia. Cristian, tentando não demonstrar a repulsa que sentia, enfiou os dedos na boca da mulher e moveu os ossos moles. O queixo, já quebrado, cedeu com facilidade. Daniel torceu o pano e colocou a ponta do tecido longo na entrada da garganta da mulher.

O som que os aborrecia amenizou, mas não cessou. O rapaz continuou empurrando a toalha pela abertura, girando-a para fazê-la encaixar-se melhor no orifício ao longo da descida. O plano teve sucesso parcial, porque algum ruído ainda escapava do nariz.

Satisfeitos com o resultado, começaram o procedimento com Manfred. Tiveram mais dificuldades dessa vez, pois o queixo do homem estava mais rígido. Daniel ficou preocupado com a luva rasgada no contato com os dentes do alemão. Quando achou que tinha terminado, o zumbido do assobio nasalado do casal preencheu o quarto como uma estranha sinfonia.

– Suzane! Venha aqui com uma jarra e sacos plásticos. – O comando de Daniel foi atendido com rapidez pela namorada.

Ela não quis entrar no quarto, nem os irmãos a obrigaram a isso. Entregou os objetos na porta e voltou ao andar de baixo para continuar a revolver a casa.

Daniel encheu a jarra com água na torneira do banheiro, acompanhado pelo olhar curioso do irmão. Cristian, apesar de não saber o que o outro tramava, tinha absoluta confiança no estratagema.

Uma pequena corredeira desceu rápido do pote para o nariz de Manfred. A água, no início, era expelida, chapiscando o lençol. Só após algum tempo ela completou o espaço vazio das narinas. Ao certificarem-se do silêncio absoluto, deram-se por satisfeitos. Com Marísia, já não se atemorizaram com a imagem do vômito forçado. Despejaram a água com gestos mais precisos. Só tinham em mente a vontade de terminar aquilo e ir embora.

Por um instante, os corpos de Manfred e Marísia com os rostos lavados fizeram Cristian sentir calafrios. O casal não era mais gente, mas o rapaz não conseguia entendê-los como algo humano, feito ele e seu irmão. Era o limite turvo entre uma massa disforme de carne e sangue e alguém que chora de dor, pedindo clemência para pôr fim à sua angústia.

– Já era. Acabou!

Não emitiam mais o zunido irritante, tampouco pareciam respirar.

Separaram alguns dos sacos de lixo e com eles cobriram o rosto dos cadáveres. Nos que sobraram, colocaram as joias e os dólares que ainda estavam no chão. Daniel arrumou mais uma vez o braço de Manfred, posicionando-o na direção do revólver.

Antes de sair do aposento, o irmão mais novo estendeu sobre Marísia uma coberta que encontrou no guarda-roupa. Cristian achou aquilo estranho; afinal, morto não sente frio. Mas não era hora para entrar em embates filosóficos.

Encontraram Suzane sentada na poltrona da sala.

– Baguncei o escritório. – A garota fumava o terceiro cigarro Free. O cinzeiro cheio de bitucas desagradou a Daniel. Ele não gostava do cheiro de nicotina na roupa da namorada, apesar de ele fumar Marlboro.

No escritório, às vezes também chamado de biblioteca pelos moradores da casa, as gavetas das estantes estavam jogadas ao chão, misturadas com papéis e objetos largados. Até o teclado do computador estava de ponta-cabeça, junto com o monitor. O caos do recinto teria despertado a fúria de Manfred, sempre rigoroso com a organização da casa.

Uma maleta de couro marrom chamou a atenção de Cristian. Como estava trancada com cadeado, perguntou a Suzane o que existia em seu interior.

A menina disse que era onde sua mãe guardava os pagamentos que recebia dos pacientes; ela odiava lidar com bancos e ser obrigada a pagar tributos sobre depósitos ou saques. Cristian pediu a Suzane que buscasse uma faca na cozinha e pôs-se a rasgar o couro da maleta.

Encontrou cheques. Muito dinheiro vivo.

– Quanto tem aqui, Suzane?

– Acho que uns oito mil reais.

Um maço de notas de dólares em cédulas de cinquenta e cem fizeram Cristian sorrir. Chegou a contar cerca de cinco mil em dinheiro americano, e ainda restavam outras notas para contabilizar.

– Meus pais guardavam os dólares para as viagens.

Cristian guardou o montante no mesmo saco em que tinha colocado os valores que encontraram no quarto. Se iriam forjar um roubo, subtrair dinheiro da casa era uma boa ideia.

De volta à sala, Daniel e Cristian tiraram as roupas. Espantaram-se com a quantidade de sangue que havia nelas. Jogaram-nas em outros sacos e vestiram roupas limpas.

Uma sensação de alívio os tocou quando se despiram das meias-calças. Não eram do tamanho adequado para os irmãos, por isso o desconforto demasiado na virilha.

Deixaram a luz acesa, a porta aberta, e dois mortos no quarto do andar de cima da casa.

Este livro foi composto em Electra
para a Editora Planeta do Brasil
em fevereiro de 2012